定年後の学問の愉しみ

カンナ社・編

The Pleasure of Learning After Retirement　*Canna Inc.*

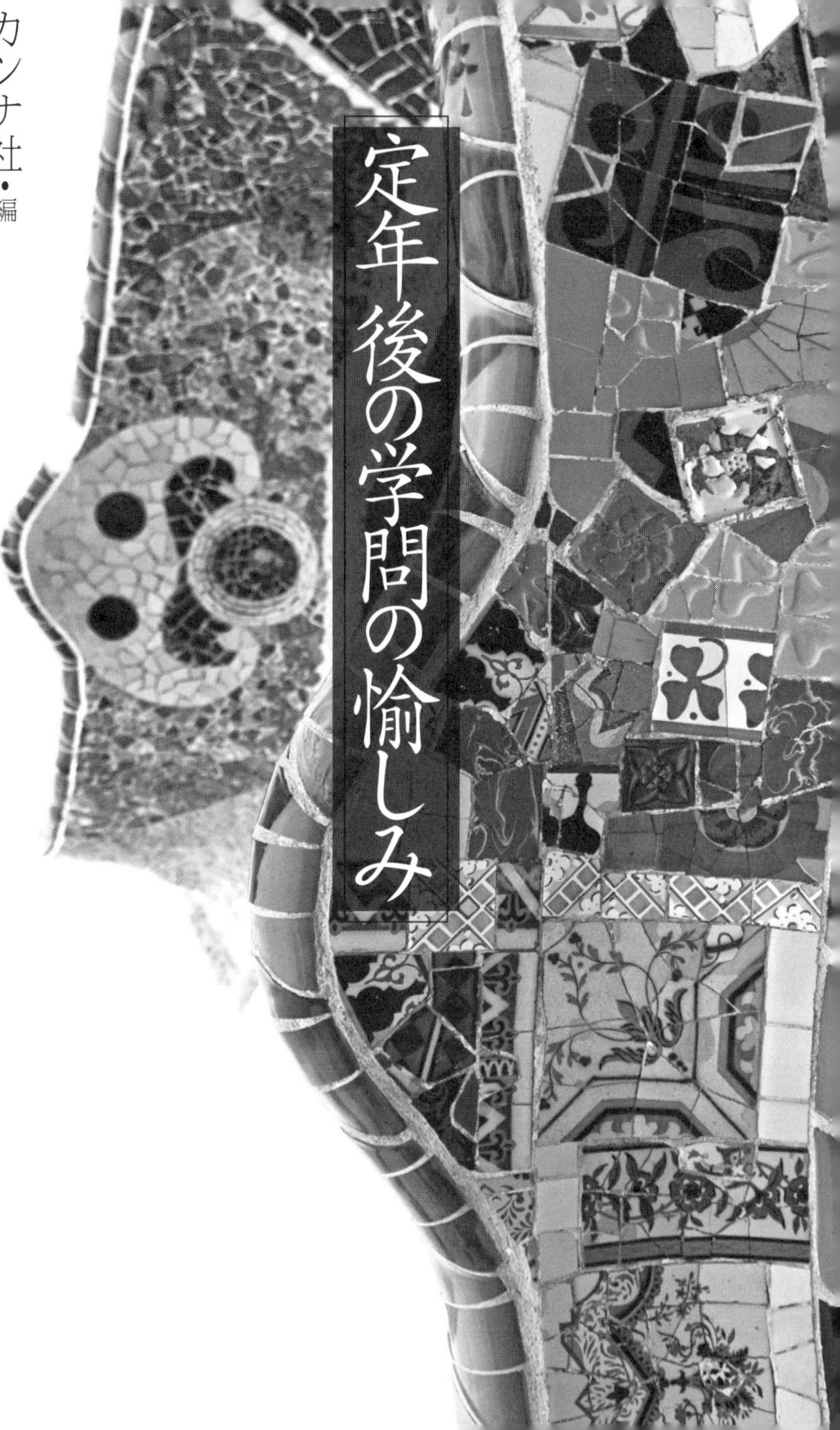

定年後の学問の愉しみ

装丁　柴田淳デザイン室

目次

1 「自分の時間」に学ぶこと 9
心の庭のガーデニング（山田英美） 10
長生きも研究のうち（浜野研三） 26
私だけの時間（福田須美子） 40

2 いま振り返る「我が学びの足跡」 53
私の誕生から大学入学までの思い出（遠藤 光） 54
国語から日本語へ、そしてことばの教育へ
——教育バイオグラフィの試み（細川英雄） 65
学問など、した覚えなし（横須賀 薫） 83
民間人校長から中国で日本文学を教える（横山芳春） 99
〈美〉を求めて——物語、文学、芸術（井上範夫） 116

放浪する研究心（谷山和夫）127
運命のいたずらと時代の波に導かれしわが学問（小林登志生）139

3 終わることなき「生涯の学問」 *159*

人生と学問（上川孝夫）160
人間になることを問い続けて（吉村文男）171
研究者を取り巻く時代とその後の学び（弘末雅士）181
大自然の中で「元気」を研究する（川村協平）192
職業としての学問　その後の学問（山下直治）211
ひとりのイギリス人作家を追い続ける「学び」（倉田雅美）226
定年後の学問の楽しみ（川井万里子）238
研究者としての自叙伝——その後の学び（住江淳司）258
来世の形而上学的な意味（福田喜一郎）277

4　新たに開けた「定年後の学問」　287

一日の大半は午前中（橋本和孝）　288
定年後の学びと活動（呉　宏明）　302
定年後——これまで、今、これから（青柳まちこ）　313
私のささやかな学問と人生の後半——定年時・それから・そして今（三橋利光）　325
研究と教育の両立、そして……（松原好次）　336
学問への興味は川の流れの如くにずっと続いていくもの（東山安子）　349

企画にあたり　363

1 「自分の時間」に学ぶこと

［心の庭のガーデニング］

山田英美

1938年 兵庫県生まれ
奈良女子大学文学部卒業
京都大学大学院教育方法学専攻修士課程修了
山梨大学名誉教授
身延山大学名誉教授
臨床発達心理士
NPO法人 やまなし幼児野外教育研究会会長

［主著］
『ネパール家庭料理入門』［農文協 1995］
『幼児キャンプ―森の体験、―雪の体験』共編著：［春風社 2001、2004］
『明暗を生きる若葉のころ』（『学のゆりかご―母と娘のディスタンス』［春風社 2022］所収）
『つまみ食いエッセイ集 栄養のない野菜』［春風社 2023］他

略職歴

１９６６年〔昭和四十一年〕名古屋大学の助手（教育心理学科）から始まって、同朋大学講師―助教授（社会福祉学科）、山梨大学助教授―教授（幼児教育学科）、身延山大学教授（児童福祉学科＝２０１４年〔平成二十六年〕まで）と、専任の職だけでも通算五十年ちかく大学に籍を得て過ごしており、その間ほかのいくつかの大学でも非常勤講師として教職関連科目の教鞭をとった。ふりかえれば、半生の大部分をそうした世界に身を置いていたことになり、おどろくばかりである。

草廬《そうろ》の住人

わが家は、実のなる木々や四季おりおりの雑多な草花のなかにちょこんと顔をのぞかせた風情で建っている。野外活動好きの仲間たちは、私のキャンプネームを被せて「やまんば・ハウス」と呼ぶが、家まわりはもちろんのこと、冬ともなると避寒のための鉢植えで居間などはジャングルさながらになるので、自分では「草廬《そうろ》」といっている。

　階段の壁に沿ってしつらえた棚には、二階の仕事場へ誘うかのように文庫本がぎっしり並んでいる。仕事場には、十数年このかた常緑を保って同居している鉢植えのフィロデンドロン・セロウムが大ぶりの葉を広げており、鉢に寄せ植えしたポトスとアイビーが、吹き抜けの居間に向かって垂れ下がっている（上記写真）。
　ある日の客人――私の臨床心理の師である精神分析医の松井《まつい》紀和《としかず》先生が、居間からそれらを眺めて、ずばり言われた。
「二階は勉強するところのようだが、植物が顔を出して下に垂れているこの光景は、学者になりきれてなくて、他の世界におおいに興味関心を示しているあなた自身を象徴していますね」と。

この草廬の主《あるじ》は、発達心理学・児童臨床といったところを専門にしてきたが、退職後は、山梨県教育庁の依嘱を受けて小学校のスクール・カウンセリングを細々と続けているほかは、時間的に余裕ができたぶん、気のむくまま他の種類のことどもへの関心に拍車がかかり、生活を愉しむことに精出している。が、それも悪くはないよと、松井先生の率直な評価で、かえって踏ん切りがついた安心の気分でいる。

マックス・ウエーバーの講演録

「職業と学問」というフレーズをきくと、学生時代に読んだマックス・ウエーバー（Max Weber）の“Wissenshaft als Beruf”の翻訳本『職業としての学問』が即座に胸によみがえってくる。岩波文庫の薄い本。本棚に探すと、紙が焼け色のグラデーションに変色した一冊が見つかった。鉛筆で傍線を引いたり書き込みがあちこちにある。１９３６年［昭和十一年］尾高邦雄訳で、格調高い文体だが細かい字の旧仮名づかいで難しい漢字が多用されており、その上印字のかすれもある。若いころにはそれをよく読みすすめられたものだと感心しつつ、再読を試みたものの、読みづらさは印刷のせいばかりではない。1980年「昭和五十五年」に同じく尾高氏による改訳版が出されているとわかって、そちらに乗りかえてみると、霧が晴れた気分になった。

　この本はM・ウエーバーが、不穏な社会情勢の中にあった当時のミュンヘンの学生たちを前にして行った有名な講演録である。彼はくり返し〝仕事《ザッヘ》〟に帰れ、仕事をおろそかにするなと言う。仕事とは学生にとっては勉強であり、大学教員に関しては学問（研究）と教育である。講演の後半はとくに厳しく強い調子で語られるが、彼の広く深い歴史的識見の上に組み立てられた内容なので、東西どの社会にも時代を越えて通じるところが多く、人気は衰えないようである。しかし、説明が相当入り組んでいるために、衿を正して何度も読まないと理解しにくい難解な部分もある。私がとくに首をひねったのは、「体験」という概念の扱われ方であった。

子どもと体験

　M・ウエーバーの述べる抽象的・神秘的な「体験」とは異質の、万人とりわけ成長期の子どもにとっては環境とのかかわりでの直接的な、シンプルな意味での〝それ〟が必要であることを私は強く感じる。

最近、タブレットを用いた授業風景がすでに小学一年生から見られるが、日常生活においても子どもはゲーム機、大人もスマホを手放さない。面と向かってのコミュニケーションの機会は減少し、それゆえコミュニケーション力が低下するのは否めないだろう。子どもにとって仮想現実の世界でのみ精神を遊ばせることがどんな影響を生むかということは、近々の社会問題である。進歩した技術製品を操作、駆使するということも一つの「体験」に類することかもしれないが、子ども時代には〝もっと自由度の高い実体験〟が必要だと確信している。

一つの対策として、子どもたちを自然の中につれ出したかった。１９８０年［昭和五十五年］から、山梨大学の野外教育専門の同僚と「やまなし幼児野外教育研究会（野外研）」をつくって、『それぞれの研究成果を山梨の親子に還元する』を合言葉にした活動を始めた。研究会メンバーで企画実践する夏と冬のキャンプは、三泊四日（五歳児）、四泊五日（小学生）である。子どもがゲームやテレビを手放し、親や家庭から離れて新しい仲間と山野で生活をする中で、自然の提供してくれる予測しがたい多様な刺激によって、不思議、おどろきの感覚、発見の楽しさ、不便な状況に工夫で立ちむかうこと等を、五感をフルにはたらかせて心身で体験するようにと願った。

それはまた、子どもが仲間と営む野外生活をサポートする若い人たち（学生や卒業生など）にとっても価値ある「体験」になると思われた。たとえば学生が教育実習をしている場面で、「キャンプ体験者」とそうでない学生を比較すると、子どもへの接し方や事象のとらえ方に歴然とした違いが見られることがあった。おまけに後年、学生スタッフが自分の子どもを、待ちかねたように野外研キャンプに出したり、幼い時のキャンパーたちが中・高校生になったときに自らスタッフ見習いを希望して、晴れやかな顔を見せるといったことも生じた。

じつは、私自身は一時期、専門の仕事と天秤にかけて「こんなに時間と労力をとられる活動を続けていてもいいのだろうか」といった悩みももったのだが、学生や子どもたちのそうした〝育ち〟を実感するに至ってモヤモヤした気持ちは吹っ切れて、息ながく野外研とつきあう現役時代の生活があった。

「野草のてんぷら」と私

退職後も野外活動を続ける中では、私の役割は「食」に特化してきた感がある。「料理じょうずは接待《もてなし》じょうず」と言った人があるが、誰かのために料理をつくり用意するということは楽しくもあり、喜びでもある。個人的に日常生活で独り住まいになると、いっそうその思いは強い。キャンプでおいしい野草を摘んで調理し、皆と味わうことがプログラムの中に定着しているので、私は俄然、はりきる。人間関係の基本は、団らんする楽しい食事行為が育てると思うのだ。

その活動ではまず、「食べられる草花や実」と「食べると毒になる植物」をしっかり見分ける目を持つ勉強は欠かせない。それには野山に生えている植物を実際に見たり匂いを嗅いだり触ったりして、よく知っている人から直接教わる以外に近道はないと思う。また、見つけた嬉しさで根こそぎ採ってしまうといった行為はよくないなど、現場でこそ実感できる自然に対するマナーを学ぶ。

夏の草花は「アク」が強い。強い陽光から身を守るためでもあろう。「アク」は高温で処理することで緩和できる。そのため調理法としては「てんぷら」が最適である。油や衣の養分で植物のたりない栄養素もプラスできるし、そのうえ微かに残る独特の香りやアクのもつ「クセ」がかえって美味さを感じさせる調理法である。「やまんばの野草のてんぷら屋」という看板もあり、キャンプでの〝ご当地グルメ〟となっている。

てんぷらを揚げながら私が連想するのは、「育児」とも共通する相手（素材）とのかかわり方である。やや低めに熱した油に投入した素材を、しばらくはむやみに触らない、つまり箸ですぐ動かしたりひっくり返したりしてはダメという点である。素材が〝自分で調理する時間〟を静かに見守り、そして〝いま〟という瞬間を見定めて、裏返すためにつまみ上げてちょっと空気にさらしてから油に戻す。すると、時間がたってもへたらないパリパリの食感を保ったおいしさになる。

このことを子どもとの付き合いに移してみれば、環境とのかかわりの中で子どもが自ら成長するところを信頼して見守り、やたらと干渉しないという点と、ここぞという時を見逃して放っておいては、てんぷらが焦げて台無しになってしまうのと同じく、取り返しのつかないことも起こりうるという、両面への心くばりである。

私が好きな野草の一つに、野原を彩るアカツメグサがある。クローバーとして知られる

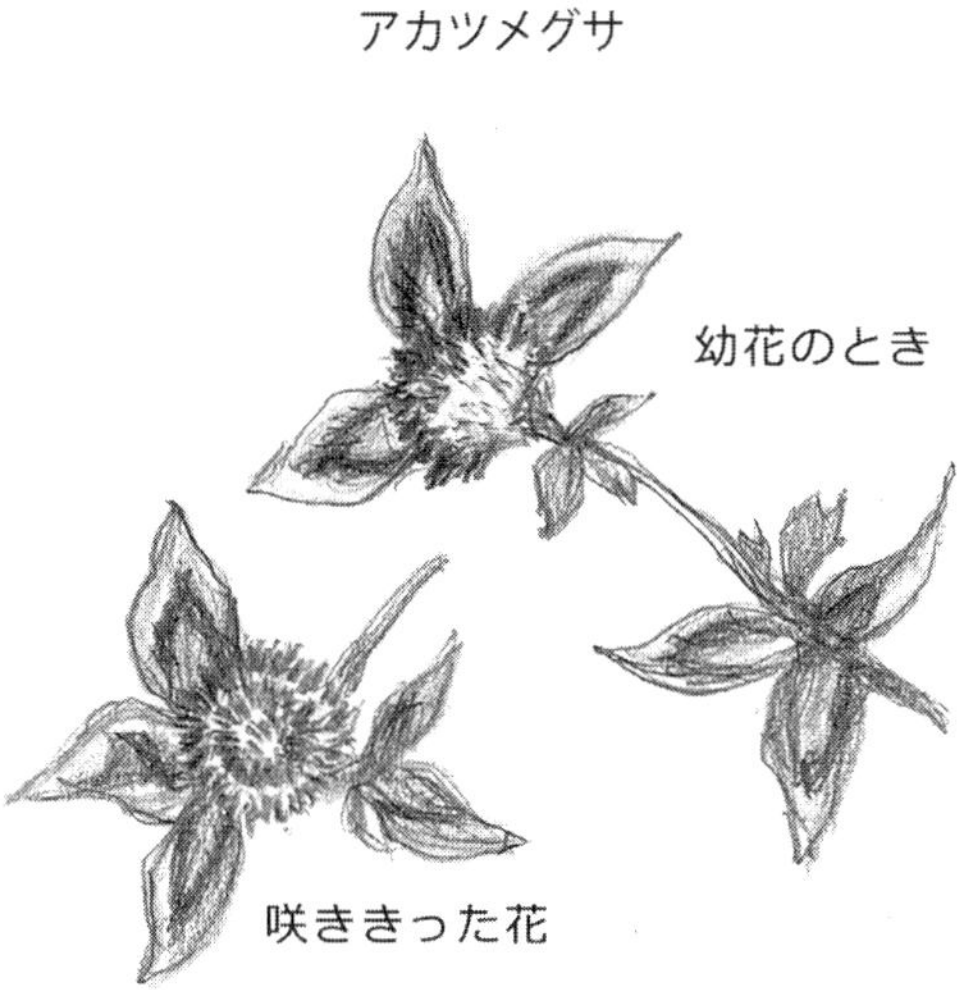

イラスト：著者

シロツメグサの仲間だが、てんぷらにするとアカツメグサの方が味にコクがある。そしてこの花が蕾から開ききるまでの過程がヒトの子どもの姿を暗示しているようで興味深い。アカツメの花は、蕾から一気に丸いポンポンのような形になるのではなく、部分的に偏って熟していく。一見イビツであるが、これは若い状態である。子どもの成長も初めから全体がまんべんなく伸びそろうわけではない。あんなことはできるのにこれはまだまだ未熟、それが自然ではないか、焦らず待ちましょう。と、花はささやく。ぶかっこうな幼花が、やっぱりみずみずしくておいしい。

シニア・キャンプ

長寿社会の今日、時間のゆとりができた中・高齢者の人たちから、自分の来し方をふりかえり、今とこれからの生き方を考えるうえで、日常を少し離れたところで志を共有する人たちと話し合ったり、活動する時間を持ちたいという声をきく。それにこたえて、私・やまんば企画のシニア・キャンプを実施することになった。キャンプといっても何日も家を留守にするのは無理といった現実があるので、最短の一泊二日コースを設定することになるが、それでもかなりのリフレッシュ感と充実感がえられることが、ここ何回かの参加者の感想でつかめている。

このキャンプには、異世代の交流が自然に生じてくるように親や祖父母といっしょに幼児や小学生も参加してよいことにしているが、子どもだけのキャンプとはちがった意図を盛りこんだ活動内容を考える。その際つぎの二点が骨子になる。①学びなおし（unlearn）…凝り固まった習慣や選択を解きほぐして、異なったものの見方や考え方をしてみる試み。②非認知力を磨くこと…知ることよりも感じることを意識する試み（非認知力は認知力も高める）。

具体的には〝やまんば〟の得意領域である〝食〟に関するプログラムを提案し、想像力を働かせる遊びや手作り作業、焚火を囲みながらお互いのいろんな話に耳を傾けることなどを組み込んで、緩やかな流れではあるが前述の〝意図〟を意識したキャンプの構築を目ざす。

庭仕事の学び

多忙な時期には手が回らなかった庭仕事ができるようになったのは、嬉しい。以前からハーブや薬草を雑然と植えていて料理にもよく使っていたが、もっとすてきに庭づくりをしたいという思いが強くなった。それで、２０２１年［令和三年］春から「薬草ガーデンづくり」の通信講座を受けることにして、四季と歩調を合わせて一年半ほど学習に取り組んだ。飽きっぽい私にしては最後まで続けて、「薬草コーディネーター」の資格認定を得たのは稀有の出来事だった。

これは言ってみれば、おいしい野草とのつきあいの延長線上にある事柄だが、庭師《ガーデナー》という響きにそこはかとなく惹かれるのはなぜだろうと考えてみた。農林技師だった父親に、若いころは反抗ばかりしていたが、深いところでは仕事に専念する父を尊敬もし、しらずしらずのうちに影響を受けてその分野に関心をもっていたのだろうと、思い起こしている。〝ガーデナー〟をアイデンティティの一部にして、草蘆の周りで薬草・ハーブ・ガーデニングを楽しみたいものだという思いがつのる。

『庭仕事の真髄』

たまたま図書館で見てその内容にたちまち虜になり、少々高価だがすぐにとり寄せた本がある。スー・スチュアート・スミス（Sue Stuart Smith）著“The Well Gardened Mind”和田佐規子訳『庭仕事の真髄』（築地書館）である。副え題の「老い・病・トラウマ・孤独を癒す庭」が示すように、著者は英国の著名な精神科医・心理療法士。夫は有名なガーデン・デザイナーと裏書にある。

目次を開くと第一章に、私が大切にしている発達心理学の概念「愛着と喪失」といった小見出しが、目に飛び込んできた。そして「—安全な避難場所としての庭」とくるから、たまらない。「愛着と喪失」は第一次大戦時中に孤児になった子どもらの観察研究でJ・

ボウルビィが提唱した概念であるが、それを植物に敷衍して著者は、「小さな畑の面倒をみたり、植物の世話をしたりする中で、私たちは常に消失と再生に直面する」と、庭仕事の中には繰り返し「死と再生」のドラマがあることを克明に描く。私が温めてきた「人生における『いない いない・ばあ』」というテーマを、畑や庭をステージにしてつまびらかにされ、再学習するきっかけとなっている大切な一冊である。

おわりに

先に触れた松井紀和先生には、私たちの〝野外研〟発足当初から顧問をしていただいている。九十歳ちかくで奥様を亡くされて独りになられたのを気遣って、教え子たちが交互に何かと生活のサポートをすることが多くなった。私も月に一、二度は先生宅を訪問したり、草廬におお招きして弟子たちもいっしょの夕食会をするようにしている。

「ほかに何もお礼ができないから」と、先生は、お得意の〝名前折り込み〟を色紙にしてくださった。２０２１年、２０２２年〔令和三年、四年〕のものがある。

や　山や自然が好きで仕事につながっている
ま　待つことの大切さを知っている
だ　誰でも受けいれる
ひ　人を信じることができる
で　できることとできないことを悟る
み　未来を信じ現在を生きる

や　山や野が好きで教育とつながっている
ま　真面目だがおもしろい面が多い
だ　大地に根づいた教育を目指す
ひ　人が好きで交際範囲が広い
で　でしゃばるのは嫌いだが先頭に立つこともある
み　見たもの聞いたものの調理が得意

松井先生は人を鋭く的確に見抜かれるが、そのカウンセリングやセラピーは、常にとてもサポーティヴであたたかい。〝名前折り込み〟も私の好ましい面を掬いあげてくださっている。自分の弱点や欠点はいやというほどわかっているので、肯定的な面を示されると、勇気を得ることができる。

自らの高齢時代を生きていくにあたっては、できるかぎりの身体的な活動と並んで、心の庭も耕していく庭師《ガーデナー》でありたいと願っている。

[長生きも研究のうち]

浜野研三

1951年生まれ。
関西学院大学文学部
専門は道徳哲学、政治哲学、こころの哲学、生命倫理

[主著]

『クワイン――言語・経験・実在』翻訳：［勁草書房 1991］
『経験論と心の哲学』翻訳：［岩波書店 2006］
『生命倫理における宗教とスピリチュアリティ』編著：［晃洋書房 2010］
『「ただ人間であること」が持つ道徳的価値――相互に尊重し合う自由で平等な個人が築く民主主義』［春風社 2019］

知らずに死ねるか――インターネットの恩恵

私は定年後の日々を、新たな知見の獲得による知的興奮と、それを取り入れることの困難による悪戦苦闘のうちに暮らしている。その原因は、テレンティウスの「私は人間である。人間に関することで私にとって無縁なことは何もないと私は思う」という言葉に対する大いなる共感が示すように、昔から興味が多岐にわたっていること、及び大きな問題というか、根本的な問題への興味が今も持続していることである。

幸いインターネットというピンからキリまでの膨大かつ雑多な知識の宝庫を容易に利用できる時代にまで生き延びた結果、私が持っている多様な知的欲求を満たすことができている。知りたいと思いながら手を付けずにきた多くの事柄についての探求の端緒を得ることができただけでなく、ときには、自分のこれまでの世界像に大きな衝撃を与える収穫がいくつもあった。これは知っておきたいと思っていたことについての欲求を予想以上に満たすことができている。もちろん、私にとってという限定付きであるが、大きな収穫と思われるものを得たことからくる満足感を味わうこともできた。得たものをより発展深化させたいという思いが募っていることは無論であるが、ある程度の収穫を得たことによる満足感が確実にある。深化発展には大変な時間と努力が必要なので、十分な満足を得ることは不可能であるという思いもある。端緒となった収穫と自分の運に満足を覚え、何はともあれと、楽しんでいるというところである。木下順二の『子午線の祀り』を通して知った平知盛の「見るべきものは見つ」という言葉に触れた時、ただちに「知るべきことは知りぬ」という言葉が浮かんだ。しかし知るべきことは無限にあるので「不完全な自分が何とか知ることができることについて、知りぬ」が自分にはふさわしいなどと思ったことを記憶している。そのようなことを考えてから40年近くたったことからくる感慨でもある。

私は能力主義や優生思想の批判を一貫して追求してきたが、最近は人間の平等やそれと結びついて人間の生命の予測しがたい潜在的可能性について思いを巡らすことが多い。定年後に増えた自由な時間のおかげで、一層インターネットを利用することができ、ソニア・シャー（Sonia Shah）の本やインタビューにより、現生人類が約5万年前ごろにアフリカから脱出し世界各地に移住したこと、さらに人類が様々な形で移動を繰り返してきたことをより詳しく知ることができた。人類は、アフリカに生まれた同一の祖先を持つだけでなく、アフリカの外に出たものもさまざまに移住を繰り返し、互いに交流を行っていたというのである。シャーは「移住する人間（ホモ・ミグラチオ homo migratio）」という新たな名称を人類に与えようと書いているが、人間を一所定住するものと捉えるような人種差別の背景にある人間観の誤りを明らかにしている。私は、このような理解をより深めて狭隘なナショナリズムや部族主義による移民や難民に対する敵意に満ちた残酷な取り扱いをなくすための思想的基盤づくりに参画したいと思っている。

Scene on Radio の衝撃――欧米の植民地主義

平等思想の対極にある差別思想として大規模な悲劇と不正を生んできた奴隷制の歴史も、平等の思想を具体的事実に即して精錬するために、もっともっと知られるべきであり、研究され議論されるべきであると私は考えている。この問題についても私は定年後大きな収穫を得た。アメリカ南部のデューク大学のセンターが発信している Scene on Radio という PODCAST があるが、私は２０２０年の Black Lives Matter 運動の世界的拡がり以前に、この番組のシリーズ１－５までの全エピソードを聴き、先住民やアフリカから連れられてきた人々とその子孫の経験を取り入れたアメリカの歴史に関するおおよその像を得ることができた。白人のホストと専門の研究者、そしてしばしば黒人の研究者である活動家である人も加わる仕方で、「白人」(対としての「黒人」)という概念の成立の経緯や奴隷制の形成、綿の帝国の繁栄、合衆国憲法と奴隷制の関係、などなど、極めて興味深い多くの事柄についての基本的知識を得た。それに加えて、どのような研究者や著作が存在するかなど理解を深めるための手掛かりを得ることもできた。番組の中で、いかに先住民や奴隷が不正かつ苛酷な取り扱いを受けてきたのか、また自由と民主主義という旗印の下で繰返しそのような理念と相反する行為がなされてきたことについて語る際、白人のホストが言葉に詰まる場面があり、負の歴史が克服されていない事実が浮き彫りにされた。アメリカ社会が抱える闇の深さと課題の大きさを実感した時間であった。

すべての人間の平等を謳った有名な冒頭の一節を持つ独立宣言と明らかに矛盾する合衆国憲法の5分の3条項(合衆国憲法第1章第2条第3項で、下院議員数と直接税の配分に関連して人口を算定する際、自由ではない人[「奴隷」という言葉は避けられている」は5分の3として数えられるという趣旨の、明らかに不平等を認める文言がみられる)の存在や、独立宣言の起草者であり啓蒙思想の権化とも目されているジェファーソンが奴隷所有者であり奴隷の女性に子供を産ませていることなど、個々の不協和音を奏でる事実を私は知ってはいたが、他のことに気を取られてそれらの事実の意味と相互のつながりなど、より深く追及し明確な像を描くことを怠ってきてしまった。Scene on Radioとその後の世界的な運動のうねりに触発されて、先住民や奴隷制抜きにアメリカの歴史を語ることは不可能であり、現在のアメリカの理解にとっても、先住民や黒人奴隷の経験を十分に取り込んだ歴史の理解が不可欠であることをようやく理解したのである。加えて、黒人概念とその対である白人概念の成立には、ベーコンの乱（Bacon's Rebellion）のような支配の危機に直面した支配層の策略、すなわち分割統治による支配の維持強化という方策が人種差別を生んだことも知った。人種差別は自然な差別意識の延長線上にではなく、抑圧的な搾取の制度を防衛するための手段として生み出されたのである。この歴史の事実を、人間の平等という思想の内容をより豊かにする材料として用いることを私は考えている。

以上のような仕方でアメリカ史の負の側面が理解されるとともに、15世紀以来のヨーロッパの植民地主義的拡張がいかにその後の世界に影響を与えており、今現在世界で起きている事象も植民地主義の変遷の歴史と結びつけて理解すべきことが次第に受け入れられつつある。とはいえ、２０２３年春、アメリカで南部を中心に人種差別などアメリカの歴史を批判的に語る本が禁書処分を受け、それらの本の内容を教室で語ることを妨げる動きが活発化している。吹き荒れている言論封殺の嵐は、それ自体が封殺の対象となっている書物が含む真実を示唆するものと言うことができよう。

アメリカの多くの黒人が置かれている状況をぼんやりとした仕方ではなく、深く明確に理解するためには、奴隷制や名前を変えただけの奴隷制などがいかに多くの黒人を困難な立場に追いやってきたかを一貫した歴史像の下に捉えることが必要である。さらに奴隷制の歴史を学ぶことはアフリカ、中南米、カリブ海の国々、中東、アジアなどの歴史をヨーロッパの植民地主義とのつながりで理解することを意味する。そうしてこそ、新植民地主義や非同盟主義といった言葉が使われなくなった理由などに関しても、明確に理解する視点が与えられる。なぜグアテマラやチリやイラン等々で反米政権ができると政変が起きて親米政権ができるのか、またハイチやコンゴなどに象徴されるように、なぜアフリカや中南米やカリブ海の国々は貧困にあえぎ、すさまじい貧困や食糧危機などから抜け出すことができないのかが、より明確に理解できる。

結局、現在の南北問題は、植民地主義とそのくびきから逃れようとする人々との対立を中心に捉えられるべきである。むろん、後発の植民地国も加わり、被植民地の側にも宗主国と手を結んで栄華を極めようとするものも出現するので、事態はいよいよ複雑さを増すことになる。その複雑な事態をより的確に理解するために柔軟な視点を持つことが大切である。

柔軟な視点の必要に関して例を挙げれば、ヴィジェイ・プラシャド（Vijay Prashad）の著作が示すように、スターリン主義の国としてのみ見ていたソ連について、第三世界の人々の中には様々なつながりの中で私が持っていたような硬直したものとは異なった理解や態度を持つ人たちもいる。巨大な負の遺産を持つアメリカにも有名無名の多くの尊敬すべき人々がいるように、ソ連やロシアについてもより柔軟に見れば、苛酷で残忍な側面とともにそれではくくれない学ぶべき側面がある。結局同じ人間の作る国であり、その端的な事実を基盤に据えて世界に起きる出来事を見てゆく試みこそが大切なのである。

このような試みもインターネットのお陰で可能になっているということができる。ネットがなければ、メインのメディア以外のジャーナリストや理論家、活動家の意見に触れることは極めて困難である。今では、自分の家で寝っころがりながらチョムスキーや、ヴィジェイ・プラシャドやクリス・ヘッジズ（Chris Hedges）やアーロン・マテ（Aaron Maté）等々の、少なくともためにする発言などはしないと信を置ける人たちの言葉に耳を傾け蒙を開かれたり鼓舞されたり等が可能である。

遍歴《へめぐ》りていずくにか行く

2022年になってロシアのウクライナ侵攻が起きたことにより、NATO、ロシアや中国など、より注意を向ける事象が増えた。さらに、ロシアの悪魔視のような単純な理解や物語が権威あるもののごとく声高に語られるなど、明白に対立する多様な意見が提出されている。情報統制により一見混乱は収まったように見えてはいるが、現状は大きな問題を含んだものであると私は考えている。ロシアのウクライナ侵攻という同一の事態に関する百家争鳴のただなかで、自分なりの理解・物語を作る努力とともに、そのように大きく異なった理解・物語が生み出される過程・経緯の分析の必要を痛感した。

死刑制度の是非や安楽死をめぐる論議も同様な必要を感じさせた。その意味で、道徳的判断についての私の以前からの探求の成果を生かすべき問題である。それゆえ、ハンナ・アーレントやスタンリー・キャヴェル（Stanley Cavell）やリンダ・ゼレリ（Linda Zerelli）などの議論から考えたことを具体的事例に用いてより明確なものにすることも、私のテーマの一つである。そのテーマにかかわる課題として、アイリス・マードック（Iris Murdoch）が強調する、自分に都合がよいことしか見ようとしない肥え太った容赦のない自己（fat relentless ego）を制御するための注意、ともすれば見逃されがちな知ること理解することの深さを、自覚的に探究することがある。

ウィトゲンシュタインも自己の陶冶 (die Arbeit an Einem selbst) について語っている。深く見る、知る、理解すること。それは、他の人間に対して同じ平等な人間同士として対することを意味する。そのような態度を持つことから思わぬ良きことも生まれる。悪の枢軸やならず者国家などという相手を一色で塗りつぶすという粗雑な理解や語り方が横行し、何よりも避けるべきはずの戦争の終わりが見えず、ウクライナの人々はいよいよ大変な苦境を耐えることを強いられている。にもかかわらず、ロシアは、プーチンは悪の権化のような存在であり、武力によって打ち負かすしか解決の道はないと、アメリカの一極支配の維持と強化を目指すネオコンと軍需産業の敷いた筋書きをなぞるかに見える意見が事態を動かしている。注目すべきことは多くの南の国がその流れにくみしていないことである。そのことの意味をもっと深刻に考えることが必要である。

上述の歴史の意味を踏まえつつ、自分も含めた人間の複雑さ、不完全さを心に刻みながら事態を見極める努力が肝心である。何よりも、可謬論が含意する謙遜な態度と知的誠実さという道徳的価値の共有が望まれる。知る、理解する、あるいは論破するなどという言葉が持つ深さという側面が人々によりもっと強く自覚されるべきなのだが、それらの言葉が軽く使われすぎていて、あまりのずさんさに笑うに笑えないとあきれることがしばしばある。言葉の乱れは明確にかつ誠実に言葉を扱う態度によって正されてゆくことがふさわしい。この乏しき時代にそのような動きを支えるのが、人文学の主要な役割である。

それに関連して、今年3月の中国の仲介によるサウジアラビアとイランの和平合意の成立が象徴するような、アメリカ一極体制の終わりを告げる世界史の動きの意味を明確に捉えることが必要である。何よりも非同盟運動の理念を生かしたさまざまな地域統合の発展の成否に注目すべきである。そのことはアジアの盟主を気取り脱亜入欧、帝国化の道を選んで大きな災厄を自他にもたらした日本がどのような自己理解、アイデンティティを持つのかという問題と深く結びついている。中国、朝鮮と結んで欧米列強と対峙しようとし日清戦争にも最後まで反対した勝海舟、小国主義を唱えた中江兆民や石橋湛山など夜郎自大に陥らなかった先達の洞察に学びつつ、傲慢でも事大主義でもない日本のヴィジョンを探りたい。

この点についてもインターネットは以下のような、欧米中心主義や新自由主義にしがみつき沈滞ムードに囚われた日本からは見えにくい、世界における変化を告げる事実を教えてくれた。

オブラドル（Andrés Manuel López Obrador［通称ＡＭＬＯ アムロ］）は２０１８年に大統領に就任してから新自由主義的政策を捨て去り、ついにはリチウムの国有化を実現した。そして今年の3月18日に１９３８年のカルデナス大統領による石油の国有化などの政策を記念した大規模な集会において、メキシコはアメリカの植民地や保護領ではないとメキシコの主権と尊厳を強調し、さらにカルデナス大統領の政治的洞察力から学ぶことを訴えている。１９３８年の石油の国有化に際してアメリカの軍事侵攻に関する懸念が表明されたとき、大統領は第二次大戦の勃発を予見し、しかも当時の大統領がルーズベルトであったので、アメリカによる侵攻はないとして国有化に踏み切ったのである。これは現在アメリカの共和党の極右の議員などから、麻薬カルテルはテロリスト（narco-terrorist）集団でありアメリカ国内にテロ攻撃を仕掛けてくるので、軍隊を派遣して殲滅すべきという意見が叫ばれている現状を踏まえた発言である。「協力、ＹＥＳ、従属、ＮＯ」という言葉とともに、上で触れたメキシコはアメリカの植民地ではないなどの言葉が力強く発せられたのである。

また、アムロの路線を継ぎ、２０２４年の大統領選の有力候補であるメキシコシティの女性市長クラウディア・シェインバウムは女性の安全を守るために様々な政策を実施している。
新たな歴史像に触れ、人類の危機というべき出来事に直面し、知りたいことはいよいよ拡がってしまった。インターネットにより、それら様々なことについて調べることが容易になり、私自身自分でもどこに行くのか見当がつかない。幸いより抽象的なレベルにおける人間観、世界観については、少なくとも以前より解像度の高い像を得ることができている。これからどのような変貌を自分が遂げるのか興味津々でもある。

他方、人間が脆く壊れやすい存在であることも、偶然に左右される人間の歴史の不条理さ、愚かしさの側面をついた「クレオパトラの鼻がもう少し低かったら世界の顔は変わっていただろう」、狭い理性至上主義に対する「こころには理性が知らない独自の理由がある」、さらに、無限の宇宙に住む有限な人間存在が持つべき自然との健康な関係を考えさせる「この無限の空間の永遠の沈黙が私を恐れさせる」等々、パスカルの寸鉄人を刺す言葉などにより叩き込まれてきたので、また文字通り夭折した友人もいたので、想定内である。いずれにしろ、人間は途上で消えてゆかざるを得ないものである。人間が有限である以上、明日をも知れぬのである。無限大と無限小の中間、栄光と悲惨の両極を持つ人間について語ったパスカルは悲惨から目を背けるための気晴らしからの解放を説いたが、その点については、人間の落ち着きのなさ、自分を不完全と感じて、よりよき状態を目指すあり方を良しとしたヴォルテールに私は共感する。

中学生の頃に内村鑑三の『後世への最大遺物』の中で出会い感銘を受けた「この世の中を、私が死ぬときは、私の生まれたときよりも少しなりともよくして逝こうじゃないか」という天文学者ハーシェルの言葉がいわば出発点とすると、最近インターネットの Writ Large という PODCAST で思い出したジョージ・エリオットの『ミドルマーチ』の最後の言葉「世の中がだんだんよくなっていくのは、一部には、歴史に残らない行為によるものだからである。そして、私たちにとって物事が思ったほど悪くないのは、人知れず誠実に生き、だれも訪れることのない墓に眠る、数多くの人々のお陰でもあるからだ」が、今の私の心に響くものである。忸怩たる思いに駆られることも多いが、このような照応を楽しめる定年後の日々を送れていること、以て瞑すべしである。

[私だけの時間]

福田須美子

一九四七年　山口県下関市生まれ。
山口県立下関西高等学校を経て、お茶の水女子大学・大学院修士課程（教育学専攻）を卒業。
その後、いくつかの非常勤講師を兼任。その間、結婚・出産・育児（長女・長男）をしながら
一九八九年　相模女子大学専任講師となる。続いて、助教授・教授。
二〇一四年　相模女子大学定年退職。相模女子大学名誉教授。
現在　浦和大学特任教授。

[主著]

『つながりあう知――クララと明治の女性たち』［春風社 2009］
『やさしい教育原理 第3版』共著：［有斐閣 2016］他

女性と自由

これを書き始めた時、私は後期高齢者の仲間入りをした。だがまだ大学で働いている。教育の歴史、特に近代以降の女性の生き方を教育というアングルから眺めている。教育を受ける権利を獲得することによって、実際女性たちは鳥かごから自由に羽ばたけるようになったのか？　こうした問いかけを胸に私は永い間、大学で勤務してきた。

若い頃、ヘレン・ケラーの『私の生涯』を読んだ時の衝撃にも似た感動が、教育について考え教育学を志す原点にあったように思われる。大学で教育学を学んだもののその先が見えず、そのまま修士課程へと進み、私の個人的な問いかけでもあり研究テーマでもあった「女性と教育」にこだわり続け、今日に至っている。

一九九〇年代初頭、勤め始めた大学で市民講座を担当していた時のこと。その頃はまだ各家庭にエアコンが普及しているような時代ではなかった。市民講座は盛況で、その内容のいかんにかかわらず、教室は涼しく学びには快適な環境が用意されていた。毎回講義の後に感想を尋ねた。「涼しい教室で、講義を子守歌に昼寝するのは贅沢の極み」などと書いて失笑を誘う人にお目にかかることもあったが、なかに次のような回答を提供してくれた女性がいたことを今も鮮やかに憶えている。その女性は、ほぼ私と同年代、その頃四十代前半の方とお見受けした。緑さんという。その文面を読みつつなるほどと、女性の人生の難しさを共感、私はこのメモを長く保存していた。

私は、四十代。家付き娘で育ち、自宅通学で学生時代を終え、現在は結婚し育児の真っ最中、実家の一隅でいわば大家族で暮らしております。傍目には何不自由なくと映るらしく羨ましがられるのですが、実は私には全く「自由」がないのです。両親に気を遣い、夫の世話、子どもたちに振り回される毎日。夢とか希望とか聞かれても、「私の夢、そんなのあったかしら？」という始末。日々の生活に追われて、私は自分自身の夢だの、希望だのすっかり忘れていた。そうだ！　私の夢は、ひとり暮らし。お陰様でこの市民大学での受講が、だれにも邪魔されない私だけの時間、至福の時間なのです。わたしは、ひとりでここにいて先生の話を聴いている。それだけでありがたい。

何回か続いた講座が終了、緑さんはひょっこり私の前に現れ、「とうとう至福の時間が終わりました。また来年もよろしくお願いします」と手作りのクッキーとメッセージをいただいた。その一筆箋には次の通り、「ひとり暮らしを夢見ているのは、この私です。夢が実現した暁には、またお知らせします」とありました。

私が十年前この女子大の退職を機に最初の断捨離を行ったとき、このメモが出てきた。大学周辺で子育て支援活動をしている友人のひとり、「緑さんなら知っているわよ」とのこと、彼女の消息を追った。同世代の女性が第二のステージをどのように切り拓き歩んでいるのか、老後のひとつの道しるべが得られるかもしれないという思いで。

緑さんは、市民講座のメモからおよそ二十年後の二〇一四年春、二人の子ども達は結婚して独立、その後熟年離婚を経て父親を見送り、母親は施設で過ごすようになって、念願のひとり暮らしを始めたそうだ。初めて自分自身の自由な時間を持つことができるようになったという彼女の笑顔を想像しながら、思わず「やったね！」と私は独り言。

ある時、彼女は「ピースボート」で世界一周三ヶ月の旅に出たそうだ。シンガポールを経由しインド洋を超え、スエズ運河を渡り地中海へ、イベリア半島を経由してパナマ運河を通過、太平洋を横断して帰国するという長い船旅。美大を出た彼女はおのおのの寄港地で目にした風物をデッサンし、それらを自分自身へのお土産として帰国したという。彼女の贅沢な「私だけの時間」は、その後の彼女の人生にどんな実りを見せてくれたのであろうか？

意志さえあれば道は開ける

二〇〇五年の夏、やはり先の女子大でのこと。現職の学校栄養職員を栄養教諭へと養成する夏季講習が開設された。その折、「子どもと教育」の領域でこれからの課題を模索するというテーマを掲げ、アフリカのゴンベで地球を救おうというプロジェクトを開始していたチンパンジー研究家のジェーン・グドールさんの事例を取り上げた時のこと。しっかりとメモを取り、一言も聞き逃すまいと耳を傾ける女性がいた。まさに真摯な女学生のような眼差し。その印象を私の心に残し、短い講座はあっという間に幕を閉じた。そして翌春、突然彼女から分厚いお手紙が届いたのである。

先生、行って来ましたよ～！

二〇〇五年夏の栄養教諭の講習で、先生の「教育の原理」を受講しなかったら、まさかキゴマのゴンベ・ストリームにまで行くことはなかったでしょう。

その年の冬休み、さっそく万難を排して関空を出発、タンザニアに向かいました。ドバイ経由で約十二時間の長旅の後、目を覚ますと雲間からアフリカ大陸が見えてきました。キリマンジャロの真上を通過する時、思わず心の中で、「アフリカだ！」と叫びました。タンザニアの中心街ダルエスサラームに降り立つと、そこにはまぶしい太陽とむんむんするような熱気があふれていました。気が付くとじっとり汗ばんでいます。

キゴマに着いてみると、そこは小さな町で、質素な土の家やほこりっぽいでこぼこ道を歩く牛や人の群れが見られます。なかでも外で元気いっぱい遊んでいる子どもたちが印象的、裸足の子どもが目につきます。彼らの楽しく生きていこうという姿、まん丸の生き生きした瞳に励まされる思いです。子どもはこうでなくっちゃと思って眺めていると、珍しい人間の訪れに子どもたちが興味津々で寄ってきます。

あっという間に船の時間が迫ってきました。タンガニーカ湖の船旅。キゴマの町の風景がだんだん遠ざかっていきます。遠くに樹木の伐採によりはげた山肌がいくつも見えます。ジェーンの行っている自然保護運動が思い起こされます。そのうちうっそうとした木々の中にゴンベ・ストリームのゲートが見えてきました。

入り口でチェックを受け、チンパンジーの森へ。すると茂みの向こうの木の枝がゆらり。「あっ！　チンパンジー！」興奮しながら、道なき道を奥へ奥へと分け入っていきます。そこらじゅうでチンパンジーの声。周りを見回すと私たちの方がチンパンジーに観察され、見張られている始末。目の前にはチンパンジーの家族がじゃれあっています。その周りにアリ釣りをしている子どもたちもいます。日没近くになり、人間たちは宿舎へ。二重の金網の部屋に閉じ込められ、私達もまさにチンパンジー。

夜明けとともに活動開始。本日の目標は、ジェーン・グドールがチンパンジー研究のスタートを切った地点です。この場所はジェーン・ピーク。たったひとりで来る日も来る日も朝から日没まで、チンパンジーが現れるのを待ったという記念すべき場所。そこでチンパンジーと仲良くなり、彼女もチンパンジーの仲間入りをすることによって、新たな発見を次々と世に問うたのです。このジェーンの丘を最後に私たちのサファリは終わりました。

アフリカのチンパンジーそして無邪気な子ども達、かけがえのない自然に触れて、ただ「楽しい」のひとことでは尽くせない、心の奥底を揺さぶられる旅ができたように思います。このことをお伝えしたくて筆を執りました。

さらに時は流れ、およそ十五年を経た二〇二〇年の年賀状には、次のようなご挨拶があった。

いよいよ今春定年を迎えます。これを機に、私は若い頃から夢みていた道、念願の俳優になるため劇団に入ることにいたしました。敬子

変わる大学

二十一世紀に入り、大学に少子化の波がどっと押し寄せてきた。いわゆる十八歳人口減少による大学の生き残り合戦が激化し、私自身もその渦に巻き込まれることになったのである。政府および文部科学省の施策に右往左往しながら、日本中の大学や短期大学が改革・改編に着手することになった。新機軸として何が学生に求められ、何を社会は必要としているのか？　所属していた女子大では、子育て・教育を軸に新学科を設置することになった。

たまたま私は、教育学領域・教職課程に所属していたので、その一翼を担う、いや担わざるを得なくなってしまったのである。教授会決定後、目の前に設置申請文書が山のよう

に積まれ、申請までの工程表が示されると、断る暇も嘆く間もなく黙々と事務作業を続ける突貫工事に突入した。時機を逃すと一年遅れになるという。下手するともう一年こんな生活が続くのかという強迫観念に後押しされ、早くやり遂げなくてはと思った。

昼間は通常勤務、五時からは設置業務のための夜勤を続けることにより、着手から一年半で設置認可が下りることになった。新学科設置という事業はいずれの大学も行っていることなのであるが、これに直接関わる教員はそう多くはいない。少数の教員が一貫して来る日も来る日も黙々と携わることになるのである。私の例を見てもよく分かる通り、能力や業績とは無縁である。時の運不運。この暗いトンネルを潜り抜けることができただけでも幸運と思うしかなかった。

やっとの思いで、新学科誕生。日本にはその後数多くの新学科が生まれているが、いずれのケースも難産であったに違いない。これに着手した者の苦労は経験した者にしか分からないという点で、まさに出産・子育てと同じ。そしてその後すぐに気づくことになる。産むは易し、育てるは難しということに。

私はこの新学科を育て何回目かの卒業生を送り出し、二〇一四年にこの女子大学を定年退職した。これを機に、それまでの持ち物の半分以上を断捨離した。若い学生時代からアルバイトをしてコツコツと集め大切だったはずの本の類も。身を軽くして今後は図書館で本を読むことにしたのである。

子どもの頃、家業のタバコ屋の店番をしながら、その合間に本を読むのが習慣となっていた私は、店番は嫌いだったが、本を読むのは好きだった。長じて、高校生の頃には、付属図書館の「旭陵館《きょくりょうかん》」に逃げ込んで、本を眺めながら夢想に耽ったものである。大学では空き時間に図書館を利用し、下宿に戻ってからは地域の図書館や国会図書館に通ってレポートを書いた。私にとって図書館は「私だけの時間」を獲得するための駆け込み寺だったような気がする。そして今なお、本を読むことに釣られ、私は大学に籍を置いている。

「真理がわれらを自由にする」

この言葉、国会図書館を利用された方はご存じか、二階中央の貸出・返却カウンターの頭上に高々と掲げられている一文だ。一昔前、私が学生の頃の国会図書館では、閲覧表を提出して本が出て来るのをずうっと待つということが多かった。まだかまだかとカウンターを見つめている時に目にする名文。「真理がわれらを自由にする」か、いいなぁ。待ちくたびれて眠くなった時など、口に出してみると眠気も吹っ飛ぶような気がしたものである。

あれは確か大学入学後初めて国会図書館に行った夏休みのこと。レポートでエーリッヒ・フロムの『自由からの逃走』の原本を探し、閲覧表を提出して椅子に掛けると、この名文が目に飛び込んできた。左上には日本語、右上にはギリシャ語。右のギリシャ語は、原語なのか？　あれこれ想いを巡らし、インフォメーション担当の方に伺ってみることにした。「右手のギリシャ語は左の日本語の原文なのでしょうか？」すると、「いいところに気がつかれましたね。実は違うのです」。「えっ！？」「少々お待ちください。」謎めいた面白い展開となっていった。その図書館員の方は親切にも、この経緯について記された文書を持ってきてくださった。

当然旧いギリシャ語のものが先にあり、新約聖書中「ヨハネによる福音書」八章三十二節から採られたということだった。聖書の中のギリシャ語は、「真理が汝らを自由にする」となっています。では、なぜ「汝ら」が「われら」になったのか？

暗い第二次世界大戦が終りを告げた時のこと、国立国会図書館の初代運営委員長であった羽仁五郎氏の発意により、新しい民主主義社会のシンボルとして、民主的な国会運営の糧となる国会図書館をわれら国民の図書館にするため、聖書にある一文の「汝」を「われ」と改め、われわれ国民の覚悟を問うがごとく国会図書館法の前文に挿入するよう提案されたということであった。

その後、国会図書館設立の際に、初代館長となった金森徳次郎氏の手になる書により掲げられることになった。その前文には国会図書館設立の主旨が次のように記されている。

「真理がわれらを自由にするという確信に立って、憲法の誓約する日本の民主化と世界平和とに寄与することを使命として、ここに設立される」

戦後およそ八十年を数え、この間、真理を求めて数限りない挑戦が行われてきたに違いない。だがしかし、二〇二二年というこのご時世にウクライナ戦争に直面することになるとは。世界のあちこちで争いが絶えず、家の内外においてもしかり。果たしてわれらは自由になりつつあるのでしょうか？

2 いま振り返る「我が学びの足跡」

［私の誕生から大学入学までの思い出］

遠藤　光

一九四三年四月、新潟県南魚沼郡に生まれ育つ。一九七二年法政大学大学院英文学専攻博士課程単位取得満期退学。研究対象は二〇世紀のイギリスの詩人兼批評家のT・S・エリオット。ほかに、ハーバート・リードとシドニー・キーズ。

現在、実践女子短期大学名誉教授。

日本T・S・エリオット協会会員（元委員：元事務局長一九九六－一九九九）。日本ギリシャ協会会員。元アレーテイア文学研究会主幹（一九八五－二〇一七）。


【受賞】

二〇一一年十一月、R・H・ブライズ記念第五回山茶花クラブ賞受賞（学術文芸年刊誌『アレーテイア』〈一九八五－二〇一〇〉の企画編集・著述・発行の長年にわたる功績に対して）。

［主著］
『T・S・エリオット』（ノースロップ・フライ著）翻訳：［清水弘文堂 1981］
『古代ギリシア人の生活文化』（J・P・マハフィー著）遠藤輝代と共訳：［八潮出版社 1996］
『プルーフロックの世界――T・S・エリオットの限りなく悩めるもの』［春風社 2020］

近況

二〇一四（平成二六）年三月、七〇歳で実践女子短期大学英語コミュニケーション学科を定年退職して以来、ほぼ七年間、現職中に書き溜めてあったT・S・エリオットの第一詩集 *Prufrock and Other Observations* (1917) についての小論文を一冊にまとめる作業に費やした。二〇二〇年の上梓のあと今日まで、医者通いのほかは細ぼそとながら、研究は続けている。本年（二〇二三年）四月二九日で八〇歳を迎えようとしている今日、過去を振り返ることが多くなっているので、このたびは、本書のタイトルからは少し外れるかもしれないが、誕生から大学入学までについて書かせてもらった。

誕生から小学校入学前まで

一九四三（昭和十八）年四月、父（修平）が南魚沼郡湯沢国民学校で訓導をしていたため、越後湯沢村に長男として生まれる。産婆が間に合わず、母ひとりの導きでこの世に飛び出た。三歳上に姉がいた。一九四四（昭和十九）年四月に、父が同郡六日町大月《おおづき》国民学校の訓導を命じられたため、六日町大月村（現在の南魚沼市六日町大月）に転居した。この頃のことは全く記憶にない。

一九四五（昭二〇）年四月（二歳）、父が同郡五十沢《いかざわ》村南五十沢国民学校の教頭を命じられ、六日町五十沢に転居した。その頃、父がぜんまい仕掛の蓄音機で輸入版のクラシック音楽のSPレコードを盛んに聴いていたので、私も一緒に聴いていて、すっかり音楽好きになった。後年、父に確かめたところ、エゴン・ペトリが弾くベートーヴェンのピアノ・ソナタ「月光の曲」や、マルセル・モイーズ（フルート奏者）によるモーツァルト作曲『フルート協奏曲第一番』をいつもせがんでいたとのことである。以後、クラシック好きは今日まで続いている。

一九四六年（三歳）。太平洋戦争が前年の八月で終わっていたにも拘わらず、私が外で遊んでいるとき、飛行機の音がしてくると、母がよく「光《ひかる》や！　木の下に隠れなさい！」と叫んでいた。母にとっては、一年経っても戦争は終わっていなかったのだ。それから、御飯茶碗の中には豆・稗《ひえ》・粟《あわ》がパラパラとしか入っていない、スープのような食事を覚えている。

一九四七（昭和二二）年四月（四歳）。父が同郡土樽《つちだる》村立土樽中学校教諭・教頭を命じられ、土樽村教員住宅に転居した。教員住宅の裏手に広がる広大な森林の中でよく遊んだ。いろいろな植物に興味を持ったり、森の中のさまざまな自然の声と匂いが大好きで、うっとりと浸っていた。特に郭公《かっこう》の鳴き声を今でもよく覚えている。

また、岩原《いわっぱら》スキー場に戦後間もなく進駐軍のハイツができていたのだが、そこに行き来するジープに乗ったアメリカ兵たちが、家の前で三輪車に乗っている私をヒョイと抱き上げて、ハイツに連れて行ったのだ。一〇名くらいの進駐軍に一頻《ひとしき》りもてあそばれたあと、金メッキされた大きな筒状のブリキ缶を持たされて、再びジープで家に帰してもらった。その缶の中にはアメリカ製のビスケットがぎっしり詰まっており、母が近所の人たちに配っていた。こういうことがそのあと二回あった。また、ハイツで使用する石炭を積んだ大型トラックが私たちの村を通過するとき、アメリカ兵の運転手がトラックの尻をわざと左右に振って、石炭をバラバラと落としていってくれた。進駐軍は、今にして思えば、敗戦国の我々民間人に対して、とても人道的であった。

話は変わるが、五歳のときの冬、父とスキーを履いて道路わきの坂ですべっていたら、たまたま通りかかったおじさんが足を止めて私の方に寄ってきて、私の頭に手を置いて、「なかなか上手じゃないか」と言って褒めてくれたことがあった。あとで「あの人は誰だったの？」と父に聞いたら、「有名なスキー選手で猪谷千春《いがやちはる》っていう人だよ。オリンピックに出て賞をもらった人だ」と教えてもらった。

小学生・中学生時代

一九五〇（昭二五）年四月（七歳）。父が同郡城内《じょうない》村立城内中学校教諭・教頭を命じられ、やっと同郡六日町田中町（現在の南魚沼市六日町）の実家に転居した。私も六日町立六日町小学校に入学した。

実家の目の前には、坂戸山と魚野《うおの》川があり、川にはアユやハヤをはじめとするさまざまな種類の魚がたくさん泳いでいて、毎日のように魚釣りをしたり、水面をスイスイ泳ぐ水馬《あめんぼ》などを観察した。また、オニヤンマや塩辛トンボ、セミ、蝶々、カブト虫などの昆虫類をたくさん採集した。

クレヨンで絵を描くことも大好きで、よく賞状をもらった。駅の待合室の様子を描いたものが特賞になり、その絵が、上越線六日町駅の待合室改札口の上方に三年間飾られたこともあった。その絵は残念ながら返してもらえなかった。

小学二年生になると、父が講談社の絵本『野口英世』、『大江山』、『雷電為右衛門』、『フランクリン』、『イエスさま』などを次々と買ってくれた。これらすべてを、ほぼ毎日、夢中になって読んだ。ほかにも学校の図書室には一〇〇冊以上の本が揃っていることが分かり、『リビングストーン アフリカ探検』や『アリババ物語』、『万次郎漂流記』など、小学校卒業までに七〇冊近く読んだ。

この様子を見てか、父は次に、私が小三になると、講談社の「少年少女世界文学全集」（全五〇巻）を一度に買ってくれて、それを姉と競争で読み、六年生を終えるまでに、七割がた読んだ。しかし、読んだと同じ時間をかけて作品について考えることをしなかったので、中身はあらかた忘れてしまっている。そのことが今さらながら悔やまれるのである。

小学四年生になると、ラジオ作りに夢中になり、ほぼ半年で、高周波一段（高一）ラジオを作った。これは真空管が6C6、6D6、6ZP1、12Fの四本だけのものだったが、初めてスピーカーから音声が聞こえたときの感動は今でも忘れられない。ラジオ作りは大学一年まで続いた。真空管も、ST管、MT管、ミニチュア管と様変わりした。そこから先のプリント配線のトランジスターや、ゲルマニウム・ダイオードやFMラジオは、各部品が高価であったこともあってやめてしまった。

中一のときに作ったマジックアイ（真空管の6E6）付き六級スーパーラジオが私の作った最大のもので、中間周波トランスが二個付いたものであった。シャーシーの後ろ側にUP端子も付けた。このUP端子に、モーターでターン・テイブルが回転するレコード・プレイヤーを買ってもらって接続した。カートリッジ針で78回転のSP盤や、当時流行《はや》りだった33⅓回転のLP盤を掛けると、信じられないほどの綺麗な音で聴けたので、父も母も姉も大喜びであった。

当時、夢中になって聴いたレコードは、ストコフスキー／フィラデルフィア管（'27.10.5）によるドヴォルザークの『新世界交響曲』や、ワルター／ウィーン・フィルによるマーラーの『大地の歌』（'36）とベートーヴェンの『田園交響曲』（'36.12）、それとシューマンの『交響曲第3番「ライン」』これはニューヨーク・フィル（'41）〔以上いずれもSP盤〕などを特に好んで聴いた。その後、父がLP盤を買ってきて、フルトヴェングラー、トスカニーニ、ワルター、クレンペラー、ミュンシュ、バーンスタインといった指揮者による曲を貪るように聴いて今日に及んでいる。

父にヴァイオリンを習い始めたのは、やはり中一からで、ホーマンの『ヴァイオリン教則本』を使用した。全五巻のうち、中三までに第三巻までをやり、ほかに『サード・ポジション』の練習曲もこなした。『ホーマン』は高三までかかって、おぼつかないながら第五巻までやった。ウクレレ演奏を始めたのもこの頃であった。ハワイアンのハニー・アイランダースの大橋節夫が著した『ウクレレ入門』に従って独習し、歌いながら弾くことを覚えた。ヴァイオリンは五〇歳くらいでいつの間にか弾かなくなったが、ウクレレは、腕は落ちたが、今でも時々弾いている。

中一で入ったクラブは社会班。顧問の先生の指導で、六日町の西山の中腹にある「余川古墳」に一緒に行き、土器を掘ったり、貝塚の探索をし、南魚沼郡の名が付いた由来を知って感動した。これが考古学に興味を持ち始めた最初であった。

中二の四月に新任の体育の先生に勧められて、できたばかりの器械体操班に入り、徹底的に指導して頂いた。二年・三年と班長を務めた。郡大会で優勝した。

高校時代

一九五九（昭三四）年四月に新潟県立六日町高等学校（六高）普通科に入学。三月の入試で合格が発表されるやいなや、六高の体操部の生徒が数人、リヤカーを引いて突然我が家にやって来て、これから入学式まで学校の寄宿舎で合同練習をやるから、すぐに布団を用意しろと、こちらの意思など聞かず半強制的に合宿に参加させられ、こてんぱんにしごかれた。体中が痛くて入学式のことは何も記憶していない。

体操部の練習は日曜日を除いて毎日だったので疲れて帰宅し、夕食後はぐったりして、勉強には全く身が入らなかった。高二の秋であったが、体操部の練習中に鉄棒から手を離してしまい、空中で回転しながら下に落ちた。左腕に自分の体が乗る形で落下したため、左腕のひじと手首の二ヶ所を骨折し、私の体操人生が終わった。内心ホッとしたが、心にポッカリ穴があいた。

ヴァイオリンで音大に進もうと思ったが、正規の指導者についていない、ということで適わなかった。さりとて勉強にも身が入らず、身を持て余していたとき、父が「これでも読んでみないか」といって、本棚にあった土居光知著『文學序説』増訂改版（岩波書店、昭八）を手渡してくれた。パラパラとめくってみると、これが面白かった。内容を理解したというより、こういう精神世界があるのかと実に不思議であった。これが私のその後の進路に大きく繋がっていくとは夢にも思っていなかった。以来、愛読書の一冊となって今日に至っている。

卒業が近くなったとき、突然、担任教諭に呼び出され、「遠藤、お前はこれからどうするんだ！」と言われて、「分かりません」と答えると、「馬鹿野郎！　分らんとはなんだ。」「はい。どうしたらいいでしょうか。」「それじゃ、内申書を書いてやるから新潟大学を受けてこい。学部は何でもいい、分かったな。」といわれ、受験した。五教科いずれも0点だった。答えを一つも書けなかったのだ。新潟から帰って、担任の下宿を訪ねると、「どうだ、分かったか。」「はい。」「それでどうするつもりだ！」「はい、東京に出て予備校に通います。」「そうか、それでよし！」こうして私の青春時代は幕を閉じたのである。

一九六二（昭三七）年四月、予備校の校長から、「一日も勉強を休むな」という訓話があり、これを固く守った。この予備校時代に、本格的に勉強する喜びを知った。そして同時に大きな教訓を得た。0点しか取れない馬鹿でも、コツコツと一定期間辛抱強くやっていれば、いつか或《あ》る日、突然のようにファーンと何かの上に高跳びしたような気分になるということを。そして、翌年一九六三（昭三八）年四月、法政大学文学部英文学科で英文学に専念することになった。0点しか取れなかったあの私が！である。

さて、最後に、私がT・S・エリオットに取り組むようになった経緯について述べておきたい。学部時代の専門科目は、科目名には関係なく、英詩についての講義や演習が多かった。岡本成蹊《せいけい》先生はワーズワスを、本多顕彰《あきら》先生はポールグレイヴの詩集とシェイクスピアを、入江直祐《なおすけ》先生はP・B・シェリーを、田中準《ひとし》先生はポーの詩を、といった具合であった。

ところが「批評論研究」という科目があって、桂田利吉《りきち》先生がご担当で、エリオットの*Tradition and the Individual Talent* (1919) を読むという、言わばゼミのような授業があった。私はこの授業にすっかり嵌《は》まってしまった。桂田先生は、実はS・T・コウルリッジ研究の泰斗であられたが、エリオットの解説も素晴らしかった。最後の授業で先生は「ぜひエリオットの詩も読むように」と言い残された。学部の論文はシェイクスピアの *As You Like It* と決めていたので、桂田先生に就いてエリオットに本格的に取り組んだのは、大学院に入ってからであった。そこで初めて、桂田先生は土居光知先生の一番弟子であられたことを知ったのであった。

［国語から日本語へ、そしてことばの教育へ］
――教育バイオグラフィの試み

細川英雄

研究分野　言語文化教育学　日本語教育

1949年東京生まれ。早稲田大学第一文学部卒業。早稲田大学大学院文学研究科博士課程単位取得、博士（教育学）。信州大学、金沢大学、早稲田大学日本語研究教育センターを経て、2001年より早稲田大学大学院日本語教育研究科教授。その後、同研究科長を務める。2013年3月選択定年制により早期退職。現在、早稲田大学名誉教授、言語文化教育研究所八ヶ岳アカデメイア主宰、2013-2023年言語文化教育研究学会代表理事。2021年文化庁長官表彰。

［主著］

『パリの日本語教室から』［三省堂 1986］
『日本語教育と日本事情――異文化を超える』［明石書店 1999］
『日本語教育は何をめざすか――言語文化活動の理論と実践』［明石書店 2002］
『「ことばの市民」になる――言語文化教育学の思想と実践』［ココ出版 2012］
『対話をデザインする――伝わるとはどういうことか』［ちくま新書 2019］
『対話することばの市民――CEFRの思想から言語教育の未来へ』［ココ出版 2022］他多数

はじめに――教育バイオグラフィの試みへ

「職業としての学問」というテーマをいただいたのを機に、ここでは、自らの幼少期の記憶から始め、国語から日本語へ、そしてことばの教育へと変容した自分の教育バイオグラフィを描いてみることとします。自分の興味・関心をテーマとし、人はどのように自由にかつ自律的に生きることができるのか、またその自律した個人としてさまざまな他者とともに生きるための共生社会とは、どのような社会なのか。この正解のない、探究の表現活動こそが教育であるというところに私がようやくたどり着くプロセスを考えてみたいと思います。

私は大家族のなかで育った

私は、戦後の東京二十三区郊外の住宅地に生まれました。

離婚した母親とその両親、さらにその祖母の姉夫婦という大家族のなかの子ども一人として育ちました。後に私の養母となる母方の祖母の姉の細川武子は、明治の統計学者・細川雄二郎の三人姉妹の次女で、近隣の私立学校の校長に嫁いだ長女が早世したため、長女の後をついでその学校の経営に関わるようになり副校長を務めたと聞いています。また童話作家としても知られ、ラジオ等にもしばしば出演していて当時の文化人ともさまざまなつきあいがあったようでした。浜田廣介、吉川英治、吉屋信子といった人たちの署名入りの献本が生家の書棚に並んでいました。

養母は、大勢の前で話をしたりすることが大変上手だったらしく、それは日々の生活の中でも反映されていました。さまざまな人のところを武子は幼い私を伴って訪れていました。また武子が私に語ってくれた、源義経をはじめとする、さまざまな英雄伝は今も記憶に残っているのです。

まだ戦後間もないころで皆十分な家もない時代でしたから、この武子の家に親類縁者が集まって、いつのまにか大家族が出来上がっていたということになります。

一方、実際の日々の生活のなかで私の面倒を見てくれていた母方の祖母は、武子の妹に当たる人で大所帯での多くの人びとの出入りと交流を一人で取り仕切り、武子のさまざまな交際を内側から支えていた人でもありました。いろいろな人の物まねが上手で、大家族の明るさを支えていた人でもありました。戦前、二階に預かっていた当時の一高生、後の芥川賞作家の森敦をして「外れるべき箍《たが》のない人」と言わしめた人です。

家族環境の変化

昭和三十年代に入ってから、家族環境が一変します。

私が幼稚園のとき、まず母方の祖父が脳溢血で倒れ、あいついで、病気がちだった養父である武子の夫が肺炎で亡くなりました。そして、私が小学校二年のとき、武子が過労による病に倒れました。長女の関係の学校を去り、新しい女学校の雇われ校長として生徒募集と金策で走り回った挙句だったという話を祖母から何度も聞かされました。

養母の死後数年してから、それまで地方にいた祖父の長男（実母の弟）が家族を連れて東京に戻ってきました。母方の祖父は脳溢血の予後でかなり回復してはいたものの、祖父と祖母の二人にとって長男の帰還は心から待ち望んでいたことであったはずだと思います。

しかし、この新しい家族の関心事は、まさに物質生活そのものだったのです。ちょうど戦後の高度経済成長が始まった時期でもあり、家族の食卓の話題はいつも経済中心そのものでした。物の高い安いを話題にすることは、明治生まれの祖父と祖母が一番嫌っていたことでもあり、幼い私自身、絶対に口にしてはいけないこととして育てられていました。しかし、自分の息子の新しい家族の、この価値観の違いや精神のあり方に対して生活経済力のない祖父と祖母は、もはや口を挟むことさえできなくなっていたのでした。

こうした新しい環境下で、それまで大人ばかりの中で大切に守られてきた私は、自分の居場所を失うような気分にしばしば見舞われました。そんなときは、後に切り倒されてしまう、庭の大きな梅の木の下にしゃがみこんで、穴から出てくるアリンコの数を数えていた記憶があります。小学校の後半から中学校時代にかけて私はすっかり無口になり、一人で自転車を乗り回す、一人不良の少年になりました。高校に入ったあたりから、こうした状況そのものにやや危惧というかぼんやりとした不安のようなものを抱くようになった私が、自分の居場所を確かめるように、家にあった文学や哲学思想の全集の類を手当たり次第にむさぼるように読んだのもこのころです。

私がそれこそぐれもせず、自暴自棄にならなかったのは、病床にありながら厳格だった祖父の公平さと、夫の看病をしながら、毎日、学校から帰ると私のためだけにおやつを用意して学校や友達の話を聞いてくれた祖母の溺愛のおかげであると今は思っています。

ことばについての関心

大学に入った私は、ことばについて学びたいと思いました。

昔から人間の心とことばとの関係に興味があったのは事実で、たとえば童話の中で、見てはいけないといわれたものを我慢できなくてつい見てしまったことで不幸になる人の話がよく出てきます。見てはいけないといわれたものを見てしまう、そういう人の心は、その他者からの禁止や否定のことばによって強く刺激されるものですが、そうすると、禁止されたり否定されたりすることの、いわば反対をしてしまう人間の心を解く鍵は、もしかしたら、ことばとの関係の中に潜んでいるのではないかと考えたのが学部生のころでした。幼いころの生家での、大人たちに囲まれた、今にして思えば禁止事項の多かった環境からそんなことを考えるようになったのかもしれません。

ちょうど大学紛争真っ盛りのころで大学に行っても教室に入れなかったので、よく図書館で一日中を過ごしました。言語学との出会いはそのころのことです。

言語学は、それまで知っていた文学の世界とはちょうど正反対の理路整然とした世界でした。ごちゃごちゃドロドロした文学とは真逆の、すっきりとした厳格で清潔な論理、初めて知るこの世界の魅力に私は夢中になりました。

ところが実際に言語とつきあおうとすると、言語データ分析という恐ろしく手間のかかる途方もない退屈な作業が必要であることに、卒論を書いているうちに気づいたのでした。

自分の進路も決めなければなりませんでしたが、積極的に考える手がかりがなく、どこにも行きたくない、どこか行くところはないかと迷っていたら、いつのまにか大学院へ行くしか進路は残されていませんでした。私の大学院進学については、90歳を過ぎてなお矍《かく》鑠《しゃく》とした祖父の強い支持がありましたが、しかし私にとって他に行き場所もなかったので、そのまま大学院に進み、退屈な無数のアリンコ数えのようなことを仕事にせざるを得なくなったのでした。

専攻として選んだのは国語学という分野でした。国語学というのは、日本語の文法や意味あるいは日本語の歴史などを研究する言語の学問ですが、実例を出さないと誰も相手にしてくれない実証主義実例主義の分野だったので、ことばの用例カードを集めては研究会や学会で発表し、原稿を何回も書き直しては学術雑誌に投稿するという、長く暗いトンネルの中の執行猶予の毎日でした。

教育と研究の狭間で

それでも、とにかく学会発表など20歳代後半の成果によってやっと研究者として一応認められ、地方の国立大学の教員養成学部に専任教員として就職しました。やはり東京生まれ東京育ちの妻と生まれたばかりの娘を連れて、初めての地方暮らしが始まったのでした。

そこは教育県と呼ばれる非常に教育熱心な地域でした。学生たちもとても真面目で人数も少なかったので大変濃密な人間関係の中で仕事をすることができました。

同時に、そのころから、自分のやっている研究とは一体何かと考えはじめたと言っていいと思います。自分の教育に関する仕事はことばに関する最新の情報を学生たちにわかりやすく与えることだとはじめは思っていたのですが、一体それは何のためなのかと激しい自己嫌悪となって戻ってきました。ことばについて解説することの意味を、しだいに失いはじめたからだったと思います。

その辺りから、研究に対する自分の態度がしだいに変わってきたと言えます。誰かが書いたものや説明したものを一生懸命知識として教えても仕方がない、と思うようにもなりました。卒業論文を指導するときも、「先行研究は見るな、誰がどう言っているかは一切気にするな、とにかく自分で用例を拾ってその中から自分で法則を発見すればいい、一つ発見すればそれで卒業論文は十分だ」というような、ずいぶん乱暴なことを言いはじめていた記憶があります。

それは、自分自身で何かを発見しない限り何も動かないということに、ようやく気づきはじめたということだったのかもしれません。自分のやっていることはいったい何なのだろうか。アリンコ数えのような自分の研究に、次第に疑問が生じてきたのもこのころでした。

さらに、教員養成学部の教員として、国語学という自分の専門を国語教育分野の中でどのように生かしたらいいのか迷っていました。「子どもの目が輝いているか」という現場の先生方の問いと、自分の専門がどのように結びつくのかがわからなかったのです。

フランスで日本語を教える——信州から金沢へ

その息苦しさを脱出しようと、フランスで日本語を教えるために渡仏し、一年間の貴重な体験をしました。この経験については、私のはじめての著作『パリの日本語教室から』（三省堂、1986年）にくわしく述べました。

フランスからの帰国後、私は本格的に日本語教育の世界で仕事をしたいと思うようになります。自分の専門を生かすためには、国語教育よりもむしろ外国人のための日本語教育の方が間尺に合っていると感じたからです。

一年半後、金沢の大学に転出して「日本語・日本事情」というポストを担当するようになります。金沢での私の仕事は留学生に日本語を教えることでしたが、あわせて留学生受け入れのための制度作りで奔走しなければなりませんでした。そして、この新しい職場で私が出会ったのが「日本事情」という分野だったのです。

「日本事情」は、今まで私が学んできた理路整然とした言語学とは正反対の、まさに混沌、混乱の教育世界でした。この職場で、ことばを教えるとは、ことばの構造や形式あるいは使い方を教えることではないと考えはじめます。だからこそ、ことばを使った活動それ自体が大切で、その活動のあり方を考えることがことばの教師の仕事だという信念を持つに至るのです。

ここで感じたのは「文化」と「文法」の不思議な一致でした。「文法」を一つの構造だとすると「文化」もやはり構造なのですが、しかしどちらも取り出して手にとると、それは別のものに変質してしまう。では取り出さずに人間の中に置いたままで、「文法」や「文化」について考えることはできないのか。つまり言語や文化をデータとして取り出して分析したり教えたりすることではなく、個人の中にあるままの状態で、どのように活性化させることができるのかという問いと向き合うことになったのです。このようなことをかんじはじめていたとき東京の母校の大学から話があり、娘の小学校の卒業と同時に、山梨県の八ヶ岳南麗の雑木林の中に家を建て転居することになったのです。

一年間の交換研究員制度――新しい理論の形成へ

1991年4月からの新しい職場は、自分の母校でありながら、全学の留学生4000人のための日本語教育を請け負うセンターでした。当時すでに2000人を超す留学生がこのセンターに登録していて、事務方はその対応に追われ、教員は、毎日のクラスの消化に追われていました。

今考えてみると、日本語教育という仕事は研究とはみなされず、大学組織の末端的な作業として位置づけられていました。さまざまな課題があるにもかかわらず、大学が決めたことだから、自分たちでは何もできないというような、根拠のない徒労感に満ちていました。

日本語教育とは何かという議論もなく、カリキュラムのあり方についての話し合いもありませんでした。あるのは、毎学期のクラス分けテストの内容に関する、重箱の隅をつつくような話題と、その採点基準をめぐる、どうでもいいようなスタンダードづくりでした。教育システム自体は、旧態然とした方法で、授業の中身は多数の非常勤の先生方に依存し、ほぼ丸投げという状態でした。

ここには、日本語教育の縮図のようなものがあったと今にして思います。つまり、そこでの日本語教育は、専門分野の下請けであり、自ら考え自ら発信する気概のようなものをほとんど失っていたのです。

前任校で、自らつくる「日本事情」の豊かさにふれ、がちがちの日本語学の枠からはみ出そうとしていた私にとって、この職場はたいへん居心地の悪いところでした。

ちょうどそのころ、交換研究員制度の存在を教えてくれた学内の同僚がいて、この制度を利用して、着任して数年後にパリ大学交換研究員として一年間、再びフランスに滞在することができました。ちょうど欧州評議会による2001年公開出版の「ヨーロッパ言語共通参照枠ＣＥＦＲ」の試行版がインターネット上に掲載される前年の１９９５年のことです。

これを機会に私は日本語教育とは少し離れて、フランスにおける第二言語としてのフランス語教育について知りたいと思いました。それは、日本語教育を日本語の中だけに閉じ込めておくのではなく、母語ではない、外国語としてのもうひとつのことばを学ぼうとするときの問題について、世界的な文脈で言語の別を超えて考えてみたいと思ったからです。フランス国内での第二言語としてのフランス語教育の理論と実践は、歴史的にもきわめて層が厚く、こうした問題を考えるには、格好のフィールドであると考えたからでもあります。

ことばと文化をめぐる代表的な教育研究機関を訪ね、第一線で活躍している教育研究者と知り合うとともに、紹介された、いくつかの研究会やセミナーにも定期的に参加しました。

このなかでもすばらしかったのは、クレディフ（ＣＲＥＤＩＦ）という国立の教育研究機関にいたＧ・ザラトさん（現フランス国立東洋言語文化学院ＩＮＡＬＣＯ名誉教授）の研究会でした。ここで、私は複言語複文化主義や相互文化活動、言語教育と市民性形成、仲介としての実践研究など、言語と教育に関する新しい概念を知り、「ことばと文化は個人の中にある」という「個の文化」の理論と、思考と表現の往還という言語文化教育の研究サイクルを自分の中に確立することができました。これはちょうど、自分の専門として追究していた言語そのものへの私自身の関心が、言語を使う人間とその活動へと大きく移行した時期でもありました。

このようにして、私にとっての新しい理論が形成されはじめ、二度目のフランス滞在は、おそらく私の生涯で最も知的刺激に満ちた一年だったと今にして思います。ここからまた、新しい研究、新しい仕事がはじまったのです。

表現することの意味

こうして二度目のフランスから帰った私を待っていたのは、日本最大の日本語教育の大学院をつくるという仕事でした。

母校には2001年4月に大学院日本語教育研究科が開設されますが、私は教務担当者としてこの開設の準備にかかわりながら、日本語教員養成のための組織化に集中しました。この大学院の開設は、日本語教育の分野でのかなり大きな改革のプロジェクトでしたが、同時に、私の人生にとっても重要な意味を持っていました。それは、自らの思考を表現する場としての大学院の構想でもあったからです。

私が教育とは何かについてより深く考えるようになるのは、この大学院日本語教育研究科とそこでの活動が大きな要因になっています。ここでは、修士・博士の学生諸君との熱い議論によって、「ことばを教えるとは何か」という教育課題が、自己と他者の連鎖という関係概念として発展しました。

さらに、個と社会の循環という、より大きなうねりとなって私自身の中で動き出したのは、2004年に出会った畏友マイケル・バイラム（現在はイギリス・ダーラム大学名誉教授）の「言語教育は政治である」という一言でした。バイラムは、言語教育とは市民性教育であると述べています。2008年にその彼に妻とともに招待されて、パリから200キロほど離れた夫人の実家で「言語教育は何のためにあるのか」という議論をしたことが、そのまま「人は何のためにことばによって活動するのか」という問いと重なりました。ここで生まれたのが、「ことばの市民」という概念です。

たとえば、人はだれでも、ある固有のテーマを持っています。このテーマはさまざまな形で個人の中に内在していますが、それをどのように表現化し、それぞれの自己表現につなげていけるかが重要でしょう。そのそれぞれの環境の中で、個人一人一人はそれぞれの思考と表現を自らの固有のテーマにもとづき、さまざまな他者との協働によって活性化させていくのです。その際には行為者の固有性と、社会を形成するための共有性（公共性）に注目しなければなりません。この固有性と共有性（公共性）の両者を満たす教育実践をどのように構想・設計・実施していくことができるかが私の提案したいことなのです。

今、私たちには、さまざまな人との出会いがあり、ここから相互的な交流が生まれています。その交流のためには、それぞれが自律した個人としてあること、そして、その個人がやはり自律した社会をつくること、この意識を持つためには、人と人の対話が不可欠なのです。

生活と仕事は、与えられたことを与えられたようにするとか、あるいは効率ばかり考えたりしていると本当に大切なものを見失ってしまいます。

ことばの教育とは、たんにことばを教えることでは決してないはずです。教育学が個人の形成を考えるための学問であるならば、「何かを教える」という行為は、そのほんの一部にすぎないからです。

また、教育のもう一つの目的は、個人の知識や能力を向上させることではなく、この社会とは何かを考えることだと気づきます。自分の興味・関心をテーマとし、人はどのように自由にかつ自律的に生きることができるのか、またその自律した個人としてさまざまな他者とともに生きるための共生社会とは、どのような社会なのか。この正解のない、探究の表現活動こそが教育であるというところに私たちはようやくたどり着くのです。

おわりに——出会いと対話の場をつくる

2013年3月に私は早稲田を早期退職し、八ヶ岳南麓に言語文化教育研究所八ヶ岳アカデメイアを開設しました。

ここ八ヶ岳アカデメイアでは、さまざまな人々や家族が、「考えること」と「表現すること」を軸に交流しあえる場となることを私は構想するのです。すなわち参加する人たちが、自律した個人として、それぞれの家族や人間関係を自らの中で捉えなおすことが重要だからです。家族の暮らしと、仕事という新たな枠組みのもとで、それぞれの生活や仕事の実践そのものをひらく活動が展開できるような場として、この八ヶ岳アカデメイアが新しくデザインされることが必要なのだと今思っています。
個人の形成を考えるための学問として、自分の興味・関心をテーマとし、人はどのように自由にかつ自律的に生きることができるのか、またその自律した個人としてさまざまな他者とともに生きるための共生社会とは、どのような社会なのか。この正解のない、探究の表現活動を若い人たちとともにつくっていくことが今の私の願いなのです。

〔付記〕
本稿は、以下の著作の記述と重なるところがあります。
細川英雄『パリの日本語教室から』三省堂、1986年
細川英雄・たかみ『薪ストーブのある暮らし――八ヶ岳南麓・森の家から』筑摩書房、1995年
細川英雄・たかみ・もなみ『土間犬ものがたり――八ヶ岳南麓、薪ストーブのある暮らしから』沐日社、2008年
細川英雄『研究活動デザイン――出会いと対話は何を変えるか』東京図書、2012年
細川英雄「わたしはなぜ教育の道を選んだか」（「教育展望」2022年11月号）

[学問など、した覚えなし]

横須賀薫

[主著]

『児童観の展開』〔国土社 1969〕
『教師養成教育の探求』〔評論社 1976〕
『学校が蘇るとき』共著：〔教育出版 1982〕
『子どもの可能性を開くもの』〔教育出版 1987〕
『授業の深さをつくるもの』〔教育出版 1994〕
『斎藤喜博 人と仕事』〔国土社 1997〕
『中国点描』〔本の森 1997〕
『教育実践の昭和』〔春風社 2016〕
『授業研究用語辞典』編著：〔教育出版 1990〕
『図説 教育の歴史』編著：〔河出書房新社 2008〕他

二度の任期満了

定年退職とはならず、二度、任期満了退職をすることになった。一度目は二〇〇六年七月に宮城教育大学の学長を任期満了で退職したこと。六九歳になっていたので、教授職にいても六五歳定年だったから、やはり退職に該当していたことになる。

半年ほど自由の身で過ごし、二〇〇七年四月から私立十文字学園女子大学の特任教授・学事顧問に就任し、新設の人間生活学部児童・幼児教育学科 児童教育専攻に所属することになった。週二日、講義とゼミを担当し、仙台から一泊で通った。女子大はやりにくくありませんか、と問われることもあったが、もともと宮教大は女子大みたいなものであまり変化を感じなかった。このまま呑気に約束の四、五年を過ごすつもりだったが、当時の学長が大学の改革に難渋し、体調不調に陥ってしまったことで学長代行を引き受けることになり、二〇一一年四月から学長に就任することになった。その三月一一日が東日本大震災で、たまたま健康診断に帰仙していて自宅で被災したが、大きな被害は受けずに済んだ。それから二期六年学長を務めて、八十歳を迎えたので二〇一七年三月で退任した。

それからは大学に勤めることはなく、自由の身でもっぱら好きなだけ本を読むことと気ままな文章を書くことで過ごせるようになった。本来、虚弱体質で、宮教大時代のゼミの卒業生たちからは元気なのが不思議がられているが、五十歳過ぎてから健康になり、掛かりつけ医にお世話になる程度で自由に過ごせているのはありがたいことだ。

教育実践家として生きる

東大教育学部で博士課程五年を含め、計十一年過ごしたので教育学研究を志していたことは否定できないが、そうかと言って学問研究に従事したという気はしない。学問らしきものにはあこがれもあったし、好きな仕事ではあったが、そこに徹底的に打ち込む気にはなれなかった。どちらかと言えば教師でいいや、格好をつければ教育実践家で生きたいという思いで過ごして来た。

もともと文学志望から東大文Ⅱ（当時）を受けたら受かってしまったが、自信ももてず、気の進まないまま出席した入学式の矢内原総長の式辞で、地道な社会貢献の大切さを説いて、さらに一言、みんなが行きたがらない農学部や教育学部にこそ進むべきだと言うのを聞いてその場で教育学部に進もうと決めてしまった。駒場の語学クラスで自己紹介にそれを云ったら、「何で世をはかなんでるんだ」とか「実家はお寺か」などと反応されてそれはそれでびっくりしたが、その決心がその後の進路になってしまった。

ずいぶん後になるが、矢内原忠雄全集が刊行され、それを図書館でみて該当する入学式の式辞を読んでみたが、そこにはそんな一言は載っていなかった。総長のアドリブだったのか、私の幻聴だったのか。

中・高の社会科の教員免許を取得し、川崎市の教員採用試験を受けてA評価になったが、どこからも採用の声はかからず、大学院に進学することにした。学部の授業やゼミで、過去の日本の教師の実践を学ぶうちに、小学校の教員にならなりたいと思ったが中・高の教員になる気にならなかったのが主な理由だった気がする。それで大学院で、さらに明治から昭和戦前期までの小学校教員の実践を調べているうちに小学校教員の養成の仕事に関心をもつようになり、教員養成という領域へ関心が強くなった。

ついでに云うとこの頃には、自分は外国語の習得が不得意だという自覚を強くするようになっていた。語学が嫌いだったわけではなく、中学生から高校生にかけてフランス語と中国語をラジオ講座で聴いていたし、受験英語もそれなりによい成績がとれていたのだが、大学で選択したドイツ語がさっぱり好きになれず、何とか単位だけは取得したという状況だった。とても学問に向かって行ける外国語とは思えなかった。今となってみれば、何とかひと工夫したり、辛抱したりすれば道は開けたのかもしれないが、そのときはそうは思わず、教師になろう、小・中・高には道が付かなかったが、教員養成の場ではそれが成就するような気がして、それを「教師の教師になる」と標語化して自分の将来を納得したのだった。やがて新設されたばかりの宮教大から、教育学担当の声がかかり、勇躍して仙台に赴任したのだった。

　ここで哲学者の林竹二と教育実践家の斎藤喜博と出会ったことがさらに私の行き方、生き方を決することになった。林竹二とは学長と若手教員として、斎藤喜博とは小学校の授業改革運動の先覚者と後継者として、公的にも私的にも深い交際を結ぶことになった。

　私はこの二人の先達から、時の主流や主潮に安易に妥協したり、溺れたりせず、ものごとの本質を探究し、そこで発見できたものを考え続けること、さらにそれを実践に生かすことの大切さを学んだ。それは東大教育学部で学んだものや日教組の実践的主潮として受け止めていたものとは、全く違った性格のものだった。同時にこれは私の、本来もっていた何事も斜に観る性格、鋭く論破したくなる論理好みにもうまく適合するものだった。

新設の宮教大に赴任

戦後に諸制度が大変革されたことは今さら言うまでもないことだが、教育の面はその最たるものの一つだった。そして教員の養成の仕組みもやはり大変革されたのだった。それを表すモットーは「大学における教員養成」とそれに伴う「師範学校批判と開放制教員養成」だった。一九七〇年代まで、それに尽きると言い切って過言にはならない。

しかし、私が教育学担当教員として赴任した宮教大は、この大声で主張される教員養成の主旨からすると特異な歩みをした、あるいはしたと云うよりさせられた大学だった。

宮教大の創設は一九六五年四月で、当時すでに現在の国立大学の骨格となっている部分はもう固まっていたので、いわば国立大群の尻尾にくっ付く体の弱小大学だった。しかし、白紙から新設されたのではなく、東北大学に付設されていた教員養成課程が独立して教員養成大学となったものだった。この過程は当事者の教員養成課程専任教員の反対論を踏みにじって強行されたもので、東北大学自体の自治の精神を蔑ろにするものでもあった。当時東北大学自治侵害事件とその反対闘争として全国的に知られるようになったものでもあった。

今から眺めればそれは60年安保反対闘争と70年大学紛争とのちょうど中間に位置づくもので、もしこの件がもう少し早くても、もう少し遅くても推進者の意図通りにはならなかったはずであった。しかし、私の大学への就職問題の面からすればまさにラッキーだったことになる。

新生宮教大は教員の構成でみると、旧宮城師範学校時代の教員と、旧東北大教員養成課程の教員と、宮教大になってから新しく採用された教員とで概ね三分の一ずつになっていた。私は当然新採用教員だった。そこで旧宮城師範学校出自の教員たちの東北大学に対する怨嗟の声を聞くことになった。

全国の師範学校で戦後に旧帝大に併合されたのは、宮城師範学校（女子師範はそれ以前に統合されていた）だけだった。その経緯は今もって謎のままだが、それは「大学における教員養成」あるいは「学問研究に支えられる教員養成」という戦後教員養成の実験場となる運命だった。しかし、帝大体制を温存する東北大には、一部にその理念を我ことことして実現に努力した人々がいたことも事実であったが、やがてそれは大学にとって重荷というより邪魔だとされるようになる。

新制東北大では戦後合併した旧専門学校及び旧師範学校は「分校」として扱われること

になった。宮教大が設置された後の記事で教育学部が独立したと書かれるケースがしばしばあったが、実態は終始教員養成課程は分校として扱われ、教育学部に併合されたのは分離直前の一年度だけのことだった。しかも戦後設置の教育学部は、師範学校由来の講座のかなりの部分を流用して体制を整えたにもかかわらず、教育学部は教育科学研究を標榜して、ついに教員養成課程との統合を実現させることはなかったのである。そして大学全体が教員養成課程の分離に傾くや、自身の残留に必死になり分離に同調したのだった。東北大の中で教員養成課程を守り、充実させようという努力はごく一部の教員を除いてほとんどされることはなかった。

そして当時の教員養成政策の右旋回に併せて教員養成課程は、「東北大学にはなじまない」とされ、当事者の猛反対は無視され、分離されてしまう。しかも当初宮教大の新しい校地は、旧師範学校及び附属小学校が所在した地の隣地にあった東北大学農学部の移転後の跡地となることが決まり、その準備が進んだが、農学部はそれを拒否して居座ることになり、宮教大は農学部が移る予定だった青葉山の新開発の地に附属学校とは離れて新造成されることになってしまった。私が赴任したのは、その地に新しく新校舎などが落成して、教育活動が開始される一九六八年四月のことで、最初の新入生が4年生になった年だった。

赴任してすぐの頃、仙台市内でタクシーを拾って大学に向かおうとして行先を告げた時、運転手が農学部はどうして移転しないんですかね、実習用の土地が農地に向かないからと云っているそうですが、土地を改良するのが農学部の仕事でしょう、と笑いながら云っていたのが今でも忘れられない。

教員養成の本流への疑問と批判

おとなしく勉強に励むつもりだった宮教大教員の生活だったが、それは赴任早々に大きく変化することになった。東大医学部の紛争から始まった大学紛争は全国に飛び火し、東北大などは最も早い部類で、その余波は宮教大にも及んでくる。その情勢下で、東北大の宗教学の著名な教授出自の学長は早々に辞職して、新学長に林竹二が選出されることになる。

就任するとすぐに学内の校舎が封鎖されるが、林はそれにたじろぐどころか好機到来とばかりに、封鎖を警察の力に頼ることなく学生との徹底的対話によって解決し、それを通して大学の旧体制の打破、新体制の推進に取り組む。結果は警察の力を借りずに紛争を解決した全国唯一の大学となり、さらに学長リコール制度の創設など一躍大学改革の旗手となっていくのだった。この過程で、私が「おとなしく」しているわけはなく、また、林が私を放置しておくわけもなく、あっという間に林学長による新体制の中心の担い手となってしまう。

林は東北大学教育学部の教授を務めていたが、終始大学の古い体制には抵抗し、教員養成課程の味方として振舞ってきたので、紛争が収まると宮教大で真の教員養成を実現しようとする。それには若手教員で活動力のある私は絶好の働き手に当たり、私もそれはやりがいのある仕事と張り切るのだった。

その後の私は林学長の下で新生宮教大の大学づくりに注力し、また、日本の教員養成の現状を批判的に考察するようになり、やがてその中心理念であった「開放制教員養成」に対する大批判を展開することになる。

その最初は東大出版会から刊行されていた「戦後日本の教育改革」シリーズの第8巻「教員養成」（一九七一年刊）の巻末に掲載された「総括と提言」に対して日本教育学会の『教育学研究』（四〇巻二号 一九七三年）に「教員養成教育の教育課程について―『提言』を切る―」

を執筆したことだった。これにより、私は教員養成の「開放制」を否定する「閉鎖制推進論者」、「師範学校復活論者」とされ、学会関係において猛批判にさらされることになった。私は東北大学における教員養成課程に対する、さらに分離させられた新生宮教大に対する冷たい仕打ちは、単に東北大の教職員間にある教員養成観のみに拠るものではなく、日本の学問そのものがはらむ体質から発するものだと考えるようになっていた。だから私の教員養成論は、いわば学問批判として論じたつもりだった。

まったくの孤立状態はどのくらい続いたものだったか、その論こそ日本の教員養成の虚妄を突くものだという味方が現れるようになるのは私が宮教大の学長になり、時勢が国立大学法人化への流れとなるまでを待つことになった。同時に私は中教審の教員養成部会の委員に迎えられ、教員養成行政の推移と関わるようになる。

新制博士学位考

この稿の題を「学問など、した覚えなし」と気取ってみたが、それは半分本当、半分嘘だ。学問するとはどういうことかと考えたり、論じたりすればそれは所詮永遠の課題であるが、博士課程に所属し、しかも正規の3年どころか5年間も所属してしまったのだから、そこに片足どころか全身すっぽりと突っ込んでいたことになる。

私でも修士課程から博士課程に進学するころは博士論文を書くつもりだったのだ。所属した大田研究室では、学部の卒業論文で扱った戦前東北地域で展開された生活綴り方教育運動をさらに時代をさかのぼったり、影響関係などを拡大して発展させるつもりだったから、修士論文を経て博士論文に向かうのは当然のコースとみられ、自分でもそう思っていた。

当時、学位制度は新制度になってまだ間もなく、理科系ではすでに定着しかけていたかもしれないが、文科系ではまだまだ戦前からの遺風が続いていて文学博士など学問の神髄をきわめてから「もらう」ものだと思われていた。しかし、文学部ではともかく教育学部では新制度になったのだから、頭を切り替えて博士課程に在学中に準備して、修了すると同時に論文を提出して学位を獲得するようにすべきだと指導された。しかし、そう云う教員スタッフ自身が学位を獲っていなかったし、そうする努力をしているとも見えなかったのでなかなか本気にはなれなかった。

所属した教育学部の教育学科では、新制博士号を獲得した先輩が一人いて何かにつけて話題になり、専門領域を同じにして親しかった先輩も私が東大を離れるころに博士請求論文を提出したのだった。さらに一番親しくし、宮教大への就職についても親身に世話してくれた先輩が博士論文制作に励んでいるのを目の当たりにしていた。その意味では教育学部にあっては、一番新制博士号に向かって行く環境にあったと云ってよかっただろう。私自身、博士課程に進学するころは「いずれ」博士論文を書くつもりだった。

大学院に進み、さらに博士課程に進むようになると、私の場合は大学とか研究室で勉強するというよりは、学外のプロジェクトに積極的に参加するようになる。実際のところ、親がかりで研究などできる環境にはなく、そろそろ自分の家庭のことも考えなくてはいけなくなってくると、研究作業が収入と結びつくことがぜひ必要になってくる。私は研究室の先輩の受けがよかったのか、いくつかの研究プロジェクトに加えてもらえるようになった。奨学金にそういう仕事で得られる収入を加えると何とか自立してやって行けそうだった。

研究活動との関係で云えば、一つは日本の教師の教育実践の史的展開を追う作業、もう一つは日本人の児童観の変遷を追う作業を考え、「それなりに」準備に入っていた。前者は指導教官が設定した民間教育史料研究会の中心メンバーとして活動することで進めることにし、後者は当時教育学部のスタッフが中心になって始まっていた『近代日本教育論集』の編纂の仕事に加えてもらうことになり、その中で日本人の子どもの見方、考え方、扱い方の研究を進めることになった。

結果は前者の仕事は『民間教育史研究事典』（評論社 一九七五年）になり、後者は『児童観の展開』（国土社 一九六九年）の刊行になった。後から思えば博士論文制作はすぐ目の前に来ていたことになる。

それがそうはならなかったのは、誰のせいでもなく自分自身の責任だった。すでに書いたように宮教大での仕事も生活も私にとっては、楽しく充実していた。教員養成という仕事は私にはぴったりの仕事だった。宮教大教員就任時には、いずれ東大にもどって博士号を獲り、東大のスタッフになるのだろうと陰口ではなく、面と向かって云われたが、私自身はそんな気はなく、学生たちと遊んだり、勉強したりするのが楽しかった。さらに日本の教員養成を立て直す仕事の重要性もみえるようになって、仕事に意義を感じるようになっていく。

私の博士論文制作は「いずれ」であり、「それなりに」準備していた程度のものだったから、いつの間にか私の念頭からは去って行った。自分の博士号など個人的な趣向にしかすぎない、私には教員養成改革という「天命」があると思うようになった。本当のところは、ムリクリそう思って自分の怠慢を糊塗していたのだとは分かっていたが。

　それに私には一つのことに注力するというより、歴史とか哲学とか社会についてのさまざまな研究とか、そういう関係の本を読めば読むほど、いろいろ面白く、本質的な課題がそこに潜んでいるように思えて、教育学などに注力していられなくなるのだった。あるいは教育学とは、そういう森羅万象を追いかける中にしか無いのではないかと思うようになっていった。学問に博士号が付きもので、それが無ければ「学問」にならないというのであれば、私にはやはり「した覚えなし」と居直るしかないのだった、と云うことになる。

好きな本を読み好きなように文章を書く

　大学の業務から離れたのが二〇一七年三月で、その後は頼まれて宮城県内の私立大学の教職課程への助力関係が残った程度だった。今はそれも終わり、大学との縁はすべて終わった。

　それからの日常は、読書と雑文書きの毎日となった。運悪くコロナ感染症の流行に遭遇してしまい、居宅に閉じ込められる状況に陥ったが、それはむしろ自分の性にはうってつけで、それを楽しんでいる。本屋に行けないのが苦の種だったが、その後世話してくれる人がいて仙台市内の老舗書店に電子メールで注文すれば届けてくれるようになり、天国気分でいる。さらに思いついたことごとは「私信　かたくりの花」と称して短文に綴り、電子メールで届けられる範囲の知人たちに配送して自己満足している。まあまあ、これでいいか。

［民間人校長から中国で日本文学を教える］

横山芳春

1954年：福岡県に生まれる。
1980〜81年：末吉栄三計画研究室（小中学校の設計に携わる）
1981〜2003年：那覇市役所・那覇市教育委員会（中国式庭園・福州園の企画と福州市とのデザイン調整、第3次総合計画の策定、NPO支援を軌道にのせたこと、環境系NPOと協働で環境改善に取り組んだことなどが思い出深い。ゼロエミッション推進室長を最後に退所）。
2004〜14年：沖縄県で最初の民間人等出身校長となる。豊見城市座安小学校で定年退職。
2014〜19年：四川外国語大学国際教育学院外国人教師。
2020年〜：福建師範大学協和学院外国人教師、現在に至る。
1993年：アーバン・デザイン修士（Pratt Institute）。
2001年：工学博士（琉球大学）。

［主著］

『1000の子どもに1000の可能性——民間人校長の子どもの可能性を開く授業づくり』［ジアース教育新社 2007］
『体当たり校長の学校づくり——8年間のニュースレター』［春風社 2012］
『日本語を学ぶ中国の若者たち——詩の授業による心の交流の記録』［ボーダーインク 2021］

中国で授業研究をはじめる

現在、私は福建師範大学協和学院の学生たちにオンラインで日本文学を教えている。中国での勤務前の経歴を簡単に記そう。

初めての仕事は沖縄からスタート。私の専門は建築で、建築・都市計画事務所でデザインの仕事をしていた。その後、那覇市役所で22年間の勤務。ここでゼロエミッション室室長をしていた頃、沖縄県が民間人校長を募集した。学校現場での環境教育の必要性を強く感じていた私はすぐに応募。幸い合格した。10年間に3つの小学校で校長を務めた。環境教育と共に、当初から「授業を軸とした学校づくり」をめざした。斎藤喜博の学校づくりに啓発されてのことだった。斎藤氏とともに教育実践をされてきた横須賀薫氏（元宮城教育大学学長）、川嶋環氏（元島小学校教諭）や元那覇教育事務所長の西江重勝氏などの先生方を講師として招き授業研究を実施。これを10年間続けた。なお、民間人校長の仕事は決して順風満帆ではなかった。一部教師たちによる校長排斥騒動があった。校長留任を市教育委員会に要請する、PTA役員らによるカウンター行動もあった。この間の仕事については、拙著『1000の子どもに1000の可能性――民間人校長の子どもの可能性を開く授業づくり』（ジアース教育新社、２００７）に詳しい。２０１４年に定年退職。

さて、小学校10年間の授業研究は、その後の私の人生を決定づけるものになっていた。退職後は外国で日本語教師をやろうと、迷いもなく考えていた。なによりも授業の楽しさに魅了されたからだ。運よく四川外国語大学国際教育学院（在重慶）と同継続学院で外国人教師として授業ができるようになった。

中国人学生と詩歌の授業

国際教育学院での授業内容は私の裁量に任されていた。学生たちがじょじょに日本語会話に慣れてきたころから、谷川俊太郎や草野心平などの詩を教材に使いはじめた。授業研究のスタイルは、教材研究をして授業実施、その授業記録を横須賀氏にメール送信。日本に住む氏に批評をしていただくものであった。この方法で、詩歌を教材に１００回以上の研究授業を実施。

これらの記録を友人・知人たちにニューズレター火鍋通信で公開してきた。『日本語を学ぶ中国の若者たち――詩の授業による心の交流の記録』（ボーダーインク、２０２１）では、この通信から20編ほどを抜粋して紹介している。すべて横須賀氏の批評がセットである。なお、ここ3年間はずっとオンライン授業であるため、研究授業は行っていない。こんご対面式授業ができるようであれば、授業研究を再開したい。担当教科の「日本文学史概説」の中で、各時代ごとの代表的な詩歌で授業をやってみたい。

最後にニューズレター125号とその批評をご参考までに紹介しよう。国をまたいだ授業研究の気分を感じていただければ、幸甚である。

火鍋通信125号　「暑き日を…松尾芭蕉」　2018年6月29日

授業者：「最近、暑いですね。今日も36度ぐらいかな」
学生たちも、暑いと言っている。
授業者：「こんなに暑い日は、どうしているの」
学生たち：「部屋でクーラー付けている……」
授業者：「ゲームしているの？　寝ているの？」
学生たちが笑っている。

授業者：「クーラーのない昔の人たちは、どうしていたのかな……」
学生たち：「シャワーにはいる……」
授業者：「そうだよね、水浴びしていただろうね」
授業者：「日本では、道に水をまいたりもしていましたよ」
学生たちがうなずいていたり、「もっと暑くなる……」という学生もいる。

授業者：「今日は、３００年も前に作られた歌で授業します。江戸時代の歌です」
学生たちが、へーという顔をしている。
授業者が板書。学生たちがすぐに写している。

暑き日を海にいれたり最上川　　　　松尾芭蕉

ＳＨＯさんが、「あつきひを　うみにいれたり……」と読みながら写している。
授業者：「ＳＨＯさん、上手に読んでるね……」
ＳＨＯさんがニコニコしている。

授業者：「ＳＨＯさん、これはどう読みますか」授業者は、板書の「最上川」を指さしている。
ＳＨＯさんは、屈託なく、「さいうえがわ」。学生たちがみんなニコニコしている。
授業者：「いいね。そういうふうにも読めますね。ここは『もがみがわ』と読みますよ」
ＳＨＯさんが、「もがみがわ」とつぶやいている。
授業者：「それとここは、『まつおばしょう』と読みます。江戸時代のとても有名な歌人・俳人です」。俳人と板書。
授業者：「この歌は、俳句といいます」
ＹＡＮさんが、「俳句」とつぶやいている。

授業者：「何回か読んでください」
学生たちが音読している。

授業者は、学生全員（６人）に音読してもらう。みんな明るく読んでいる。

授業者：「この歌を読んで感じたことは何ですか」
SHUさん：「夏」
授業者：「夏がどうしました」
SHUさん：「夏、海がきれい」
授業者：「夏の海はきれいですね。沖縄の海は、夏きれいですよ」

SHOさん：「暑い」
YANさん：「海に遊びに行く（海に遊びに行っている？）」
TINさん：「海と川。涼しい」
授業者：「海と川があって涼しい。いいですね」

DEN君：「光で海が輝く……」
SHU君：「サンシャイン」
授業者：「SHU君、海が光っているんですね」

SHU君：「はい。DEN君と同じ」
SHOさんとYANさんがしきりに中国語で話し合っている。
授業者：「SHOさんYANさん、どうしました」
SHOさんYANさん：「最上川の意味がわからない……」
授業者：「そうですね。どうして最上川がでてくるのでしょうかね……とてもいいところに気づいたと思いますよ」
SHOさん：「おもしろい話……」
授業者：「どういうこと？」
SHOさんはニコニコしながら、説明できないでいる。
授業者：「最上川のことは、あとで話し合いましょう」

授業者：「季節はいつですか」
すぐに、YANさんとDEN君が、
「夏」
授業者：「どうしてですか」

ＤＥＮ君：「暑き日だから（暑き日と書いてあるから）」
授業者：「そうですね。夏ですね」
授業者：「夏ですが、夏の初めですか、真ん中ですか、終り頃ですか」
ＳＨＵさん：「真ん中」
授業者：「どうして」
ＳＨＵさん：「暑き日、とても暑いから」
ＤＥＮ君：「海にいれたい気持……」
授業者：「涼しくなるからね……」
学生たちが、頷いている。

授業者：「何時ごろですか」
学生たち：「夕方」
授業者：「『日』とは何ですか」
ＴＩＮさん：「夏休み」。ニコニコしながらそう言っている。
授業者：「……夏休みの日なんですね」

DEN君：「太陽」。授業者が「太陽」と板書。
授業者：「あるね……ほかには」
TINさん：「朝から夜……」
授業者：「一日」ということですね。「一日」と板書。
授業者：「他にはないですか」
学生たち：「……」

授業者：「みんなの考えを確認します」。次のような結果となる。

・太陽――DEN君、SHOさん、YANさん
・一日――TINさん、SHUさん、SHU君

授業者：「半分にわかれましたね。先生は、太陽と一日という両方もあると思うよ」
授業者：「DEN君、太陽だね。では、太陽はどこにあるの。図に描いてください」

授業者が、ホワイトボードに水平線を描く。その下部に海と書く。YANさんとSHOさんが、中国語で話し合っている。「描く……」と言っている。DEN君が前に出てきて、完全に海の中に沈んだ太陽を描く。

授業者:「YANさん、SHOさん、これでいいですか」

YANさん:「違う」

授業者:「太陽はどこですか」

YANさん・SHOさん:「半分……」

授業者が水平線に半分掛かった太陽を描く。

授業者:「これでいいですか」

YANさん:「はい、いいです」

授業者が音読。

暑き日を海にいれたり最上川

授業者：「『いれたり』の「いれる」は何ですか」
SHUさんが、手で物を何かに入れる動作をしている。
授業者：「SHUさん、そのとおりですね。いいですよ」
授業者は、たまたま学生が持っていた乾燥フルーツの入ったプラスチック容器を掲げる。なかのフルーツをすこし取り出し、容器に戻す。これを3度くりかえす。
授業者：「これが『いれる』ですね」
学生たちが、スッキリした顔をしている。

授業者：「太陽はどこにあるのですか」。図を指さしながら訊いている。
SHUさん、DEN君：「全部入っている」
SHUさん：「『いれる』は全部入る……だから」
授業者：「ここは、太陽は全部、海の中に入っているのでしょうね」
授業者：「それと、『暑き一日』のほうも、全部海の中に入った、という事かな」
TINさんが頷いている。
授業者：「太陽が沈みました。暑い一日が海の中に入りました。その結果？」

ＴＩＮさんがこっちを見ている。
ＴＩＮ：「涼しい……」
授業者：「そうですね。太陽が沈むと涼しくなります。まるで暑い一日が海の中に沈んだようで、涼しくなりました」
学生たちが納得している様子。

授業者：「ところで、何が、太陽や暑き一日を海に、いれたのですか」
学生たち：「……」
授業者：「もう一度、音読してみてください」
授業者：「『暑き日』は目的語です、主語は何ですか」
学生の間に、「自然が……」という声あり。
ＴＩＮさんが「海」と発言。
授業者：「海が暑き日を海に入れた……可能性はありますね」
ＹＡＮさん：「詩人」

授業者：「詩人が暑い日を海にいれた……どうでしょうか?」
DEN君：「最上川」
授業者：「最上川が暑き日を海にいれた。なるほど……」

授業者：「YANさん、SHOさん、さっき最上川の意味はって、訊いていましたね」
YANさんSHOさんが、嬉しそうに「はい」。
授業者：「この歌を読んで、最上川はどのような川だと思いますか」
学生たち沈黙。考えだしたのか、お手上げ状態なのか……

授業者：「では、長江はどのような江ですか」
学生たちが口々に、「水が多い」「長い」「広い」
授業者：「長江はとても広くて長くて水の多い江ですね」
学生たち：「はい」
授業者：「では、最上川は?」
TINさん：「大きい」
授業者：「そうです。大きいです」

授業者：「水は？」
学生：「多い！」
授業者：「その通りです。それと日本でも有名な急流です」。急流と板書する。
授業者：「水が多くて、大きい川、最上川が太陽や暑き一日を海にいれたんでしょうね。それで、涼しくなった……という歌なのかな……」
学生たちが頷いている。
授業者：「どうして芭蕉はこういう歌を作ったんでしょうね。難しいかな？」
SHUさんが直ぐに、「(最上川の)大きさに感動した……」
授業者：「SHUさんいいね。芭蕉は、最上川の大きさや水の多さ、雄大さに感動したんでしょうね。SHUさん、凄いことがわかりましたね。立派です」
授業者：「これでこの歌のことわかりましたね」
学生たちがほほ笑んでいる。このあと、用意していた絵と写真を見せる。
学生たちから、「フッー」と感心したような溜息がこぼれる。

最後に、ひとりひとりに朗読してもらって授業終了。

右記の授業記録を横須賀氏に送付。次の日にその批評が届いた。

横山芳春さま（２０１８・６・30）

你好！　いい授業（の報告）をありがとう。Ｐ６の展開、「何が、太陽や暑き一日を海に入れたのか」→ＤＥＮ君「最上川」→「この歌を読んで、最上川はどのような川だと思いますか」→「では、長江はどのような川だと思いますか」はすばらしいです。なぜならＰ３「最上川のことは、あとで話し合いましょう」という伏線がここで生きてきたからです。授業展開には「伏線」が大事になるのは推理小説と同じです。少し残念なのはＰ４「日」とは何か、で「太陽」と「一日」が出て両方があることを確認します。（これだけでも十分ですが）この先が理屈っぽくなってしまったことでしょう。どうして横山さん得意の「何が見えますか」を使わなかったのかしら。そうすれば太陽が最上川河口の海に沈んでいくところが学生たちに見えたに違いありません。この句はここが命なので導いてほしかったです。でも学生たちはほんとに追及力が育ちましたね。お疲れ様でした。沖縄への無事帰還を祈っています。

関東甲信越の早すぎる「梅雨明け」からはずされたが、猛暑と雷雨に見舞われた仙台より。

横須賀　薫

［〈美〉を求めて――物語、文学、芸術］

井上範夫

一九四六年　東京生まれ
一九七〇年三月　東京教育大学卒業
二〇一二年三月　山梨大学定年退職
二〇一七年三月　放送大学（山梨学習センター）定年退職
専門：フランス文学

［主著］

『ロベール仏和大辞典』共著：［小学館 1988］
『自伝契約』共訳：［水声社 1993］

物語と文学

何故私は大学でフランス文学を専攻したのか、その後文学研究の道に進み何を考究してきたのか、振り返ってみたいと思う。

幼少期から私は本、映画、ラジオ、テレビ、新聞等を通して様々な物語に親しんできた。つまり初め物語の面白さを追っていたのである。中学、高校と進んでいくと、そこに文学の力が作用し始める。当初物語の感興に魅せられ、次いで物語と重なる所と重ならない所のある文学に引き付けられ……という経過を辿ってきたとすれば、結局のところ物語とは何か、文学（や芸術）とは何か、が問題となる。

カントの『純粋理性批判』（一七八一）を援用するならば、人間が意識、思考を持った存在として常に世界了解に基づいて生きていく時、時間、空間の意識とともに自己及び周囲のあらゆる現象、出来事にどう対応するかの意識があり、そこで働くのが物語図式（出来事を一つの経緯、起承転結として了解する方式）とでも呼ぶべきものである。種々様々な生起、出来事に対応していくことは生にとって不可避の事案である以上、人間は広い意味での物語（事物の変遷を物語として把握する場合、それは「歴史」と呼ばれる）に関心を抱かざるを得ない。この根源性に由来して、日常的に話のやり取りが行われ、また言い伝え、昔話、神話、歌謡、語り物、歴史……無数の物語が我々の周囲に蓄積されてきたのである。

読み物や映画、ドラマといった物語に接していく間に、私は二つのことに気づく。先ず、小学二年生だった一九五四年、通っていた浅草の小学校には年に一度六区の映画館（当時は日本映画が絶頂を迎えつつある時期で、六区には多数の映画館が立ち並び連日客がひしめいていた）で生徒に映画を鑑賞させる行事があり、私は松竹座の暗がりの中で『二十四の瞳』（監督・木下恵介）を見ながら自分が泣いていることに気づいた。フィクションの物語に人を涙ぐませる力のあることを私はその時知ったのである（木下は名監督の一人ではあるが、感傷主義に流れる傾きのあることにはやがて気づく）。もう一つ気づいたことは、物語性の薄い作品にも魅力、即ち文学性があることである。例えば「愁ひつつ岡にのぼれば花いばら」、この蕪村の句は極めて短く物語性は希薄で、主体の僅かな行動、感情、そして情景を簡潔に描いているだけであるが、我々の心に何と鮮やかな印象を残すことだろうか。文学の力は必ずしも物語性とは関わりがないことの端的な例である。

フィクションの物語の近代的形態たる小説について言及するならば、十九世紀にその黄金時代を迎えた後二十世紀になると、小説、物語、文学性の関係は大きく転回し始めるだろう。恣意的な選択に過ぎないがプルーストの『失われた時を求めて』（一九一三－二七）、ウルフの『燈台へ』（一九二七）、そしてディーネセンの諸作品を比較してみる。

プルーストの作が刊行された時、〝バルザックが、膨大な数の小説によって社会の諸階層の様々な職種の人物を造形化し社会全体を描き出したのに比べ、確かに大長編ではあるが、社会の或る狭い箇所を細かく耕したに過ぎない〟と貶した評家もいた。だがまさにその点にこそ二十世紀の小説の特色が現れ始めている訳で、広さではなく深さが問題となるのだ。プルーストは、一方で上流社会での社交、恋愛、スキャンダル等の顛末や書き手（「私」）の幼少年期の回想を描き、それと同時に小説全体を貫く主題として書き手がディレッタントから如何にして作家になっていくかの苦闘を据えて、書くべき作品の内容や、文学や芸術に関する思索をふんだんに盛り込む。即ち小説にして同時に創作論でもある多面的、重層的な小説を生み出したのである。

ウルフの作では大事件などは起こらず、家庭、また友人間の関わり合いとその変化という日常的な出来事の連なりが描かれていくだけである。だが、その連なりの一時一時を生きる感覚、出来事や事物に接して生じる感情、感懐がきめ細かく描かれ、生きることとそのものを慈しむ感覚が読者に深い余韻を残す。

それに対しディーネセンは、二十世紀の人でありながら小説家というより物語作家と呼ぶのが相応しいように思える。無論彼女の作は見事な文章から成るのだが、多くの小説家が文章自体に種々の文学性、詩性を込めようと腐心するとすれば、彼女は作品全体の展開、即ち物語にこそ重要な意味を込めていると言える。それは、往古の物語が展開を通して因果応報、勧善懲悪等の教訓を提示するのと似ている。だが彼女の作は道徳や教訓とは全く無縁で、何か人智や善悪を超えたものがこの世界には起きてしまう、といった星辰的廻り合わせとでも呼ぶべきものを示唆するが如き結構であり、これまた強い印象を残すのである（アーレント『暗い時代の人々』［一九七二］中のディーネセン論が洞察に富む）。

音楽と美術、芸術一般

他方学生時代、バッハ、モーツアルト等の作品をエネスコ、カペー弦楽四重奏団、ハスキル、デ・ヴィトー、タリアフェロ等の名演（録音）を通して聴くことによって、音楽作品もまた時に感涙を誘う程魅力に溢れていることを知った。そして二十代の半ば、国立博物館の展覧会でレンブラントに出会う。彼の『キリスト』（一六五〇）（メトロポリタン美術館）を眺めていた私は、気づくと頬を濡らしていたのである。一九五九年中学一年の夏、開設間もない西洋美術館に行ったのが私の最初の美術館であったが、絵を見て涙したのはそれが初めてであった。レンブラントは、頭を少し左に傾げたキリストの顔を描いているのだが、光を浴びた顔半面の右目、その眼差しは何者をも恐れず立ち向かうという強い意志に輝いていた。一方顔の陰になった半面、暗い色調の奥に左目が描かれ、その眼差しはどんな人でも、どんな愚かさ、過ちでも受け止め赦してあげるよと語っていると思えた。小さな画面のキリスト像、そこにレンブラントはキリストという存在の二つの面、否彼の思想の全て、姿勢、閲歴そして人々への愛を余すところなく描き切っている、と私は驚嘆した。内面、精神性までも描き出すその恐るべき筆力を知って、彼は私にとって画家の中の画家となった。

その後絵画としてはティツィアーノ、シャルダン等の作品、彫刻としては『サモトラケのニケ』（ルーヴル美術館）、『ピエタ』（ミケランジェロ作、サン・ピエトロ寺院）、『帝釈天立像』（唐招提寺）、『世親』（運慶作、興福寺北円堂）、『千手観音菩薩坐像』（葛井寺）といった傑作を知るに至った。ここで気になるのは、感銘を受けた彫刻作品が全て信仰、宗教に基づく作で、近代以降の個人主義を背景にした作（例えばロダン）は一つもないという点である。宗教性や、祈り、個人を超えるものが芸術の創造、享受とどう関わるのか、よく考えてみなければならないと思われる。

そうして文学、演劇、音楽、美術等の芸術が鑑賞者の心に強く働きかける力を持つとすれば、総合的、統一的な芸術概念を考える必要があるだろう。私としてはこれまでのところ、ヘーゲルの芸術＝「理念の感性的表現」（『美学（講義）』一八三五－八）という定義以上の概念を知らない。我々が作品という感性的な（視覚的、聴覚的）手掛かり（表現）を基に作者の構成した想像的世界を辿って楽しみ喜ぶのは、何か理想的なもの（こうあってほしいと我々が願う顛末、状況、人の姿、生き方、人と人の関係、風景、事物等々、理念や理想と結ばれた好ましいもの、美しいもの、無論哀しみを伴う場合も含め）がそこに構築具現されており、それを感性的に直接受け取れるからに他ならない。現実の世界では様々な制約によって到達・実現し得ないような高みをそこに感知、実感することが出来るが故に、我々は精神的高揚や充実に胸打たれるのである。周知の通りヘーゲルは、現実世界で美しいとされるものよりも表現によって作り出される美を上位とし、後者のみを論じた。だが、我々が生の中（現実世界）で出会うものこそが表現を触発し、それを踏まえて表現が精錬されていくからこそ作品の美が輝くことは疑い得ず、両者の関係は更に考え続けねばならないだろう。

不思議な体験――体験の意味を探る

些か個人的過ぎる体験で気が引けるのだが、我が国の西洋崇拝の問題とも関連すると思われ、考察してみたい。二〇一八年秋渡仏した際、大西洋岸のエトルタを初めて訪ねた。エトルタは石灰質の断崖や奇岩が海辺に聳え立ち、モネが幾枚も絵にしたことで広く知られている。私は昼時、無数の白く丸い小石に埋め尽くされ、寄せては返す波がそれらを揺らしている浜に立ち、青い静かな海と穏やかに晴れた空を遥か遠く眺めていた。すると不意に何か幸福な感覚に全身包まれた気がしたのである。euphorie という言葉があるが、それはこうした憂うることが何一つないような、満ち足りた感覚を言うのであろうか、と思われた。

私は幾度もフランス、またヨーロッパのあちこちを旅し、美しい町や村、壮麗な建築物、雄大な風景、その他数々目にしてきたが、至福とでも呼びたいような感覚を覚えたのはこの時が初めてであった。更に別の日、予定していなかったブルターニュの小さな町に立ち寄り、中心街の小さなレストランの店先で昼食を取ることになった。晴々とした昼下がり、ゆったりした気分でガレットを食べていた私は、再び同じ感覚に包まれたのである。何故そんな感覚に捉えられたのか、この二度の体験は我ながら全く説明が付かなかった。

愛好者が憧れの人物や対象ゆかりの地を訪ねることは、俗に聖地巡礼と呼ばれる。私自身、宮沢賢治が一時住んでいた小屋（花巻）、エネスコの墓（パリ）、モーツアルトの墓（本当の埋葬場所は今も不明で墓の代わりに立てられた記念碑、ウイーン）等、あちこち聖地を訪ね、それぞれ相応の感激を味わった。モーツアルトの墓の前では、偶々そこで出会った中年のスイス人女性とモーツアルト礼賛の言葉を交わし、とりわけ良い思い出となった。エトルタでの体験は、モネの絵を通して久しく憧れていた海辺での出来事なのだから、それら聖地巡礼の感激と同じ類ではないのか？　だが私の感じた至福の感覚は全身がそれに包まれ、あたかも身体が浮遊しているかの如き感覚で、それまで全く味わったことのない感覚であった。

この不思議な感覚の正体について先ず、年齢を重ねたことによって感情の溢れ出る閾値が下がったのではないか、と疑った。年を取ると涙もろくなる、とよく言うように。そしてその現象の根底に、自分自身の西洋崇拝が隠れていることも疑われた。明治以降の我が国は、先進欧米の国力・文明・文化に憧れ、それに追い付き追い越せと無理（富国強兵と帝国主義）を重ね、手ひどい失敗を犯した苦い歴史を持つ。私がフランス文学を選び、度々渡仏してきたのも西洋かぶれの一種で、理由の付かぬ至福感はそれの暴発、耄碌から帰結した成れの果てに過ぎないのではないか？　しかしフランスで少し生活したこともあり、フランス社会の種々の矛盾、融通の利かなさ、強過ぎる自己主張等も承知してはいるものの、それでもその考え方、文化に学ぶべきことが多いことに変わりはない。先進・後進、優越・劣等、差別に関して言うなら、例えば印象派に対する浮世絵の影響、ピカソらキュビストに対するアフリカ彫刻の影響等（そこに様々な要素が含まれているにせよ）が明白に示すように、先進地域の人々も後進と呼ばれる地域の文化の評価すべきものは評価し、世界各地が互いに他の地域の良いものを学び、取り入れようとする時代になってきているであろう。何処の国も良い点もあれば悪い点もあり、フランスも日本も然りである。それを踏まえた上でフランスの良い点を評価し愛でることは、単なる西洋崇拝や自国卑下と同断とは言えないだろう。

渡仏する少し前からジンメルの著作をあれこれ読んでいた私は、帰国後『生の哲学』

（一九一八）を読み、驚くべき記述を見出した。幸福について彼は、万人に該当する幸福の条件などはなく、また意図的に作り出すことも出来ないもので、人それぞれ固有の経路、条件の下それは偶然的に「日光や雨のように」上から降ってくる、と書いているのだ。全身を包む幸福感、それは確かに上から降ってきたものであろう。さすれば私の体験も毫磋のせいとばかり言えないのかも知れない。更に『社会学の根本問題』（一九一七）で彼は、海を眺めて心が落ち着くのは、寄せては返す波のリズムが生命活動を単純化してくれ心を解放してくれるからだ、とも書いている。エトルタの浜辺はまさにこの好条件を用意してくれたのではないか。

ジンメルの考察は、私の体験の中枢に光を当て、私のささやかな探究に彩りを添えてくれた気がするのだが、それが錯覚や牽強付会でないかどうか更に検討していかねばならない。探究は続く。

[放浪する研究心]

谷山和夫

1952年　徳島県生まれ
1975年　早稲田大学第一文学部英文学専攻卒業
1978年　早稲田大学大学院文学研究科英文学専攻修士課程修了
1983年　静岡県の公立高校に5年勤務したのち退職
1990年　ヤギェウォ大学ポーランド文学部演劇学科に2年間留学（ポーランド、クラクフ）
1995年　明治大学大学院文学研究科演劇学専攻博士後期課程単位取得満期退学
2001年　桜美林大学短期大学部英語科教員
2007年　桜美林大学リベラルアーツ学群（英文学専攻）教員
2019年　桜美林大学退職

研究テーマ
・演劇のリアリズム（戯曲論・演技論）
・シェイクスピア
・ポーランド戦間期演劇運動（1918～1939）
・グロトフスキ
・ヨーロッパ演劇が日本近代演劇の発展に与えた影響について

鹿児島

私は、２０１９年（平成三十一年）３月に約20年勤めた桜美林大学を早期退職して、妻の故郷、鹿児島に転住した。鹿児島で暮らし始めて今年で3年になる。鹿児島の年間平均気温は約17度、冬でも比較的温暖で、夏場は高温多湿となるが、海風が吹き込むので過ごしやすい。また鹿児島は四季を通じて豊かな自然があり、とりわけ春先から木や花の芽吹きも早く、春たけなわになれば様々な花を楽しむことができる。たとえば、ツツジなどは4月初めには咲き始め、その鮮やかな色合いに目を奪われる。

鹿児島といえば桜島だ。私の住まいは錦江湾（鹿児島湾）に面する海岸沿いにあって、毎日桜島の噴煙を目にして暮らしている。その桜島の名前の由来には諸説あるようだが、その中でも私がひときわ気に入っているのが『古事記』、『日本書紀』に登場する木花咲耶姫（コノハナサクヤヒメ）の物語だ。桜島の五社大明神に祀られていることから「サクヤ」島が転訛して「サクラ」島になったという説であり、コノハナとはもちろん桜の花のことである。

木花咲耶姫は邇邇芸命（ニニギノミコト）の妻になり、火中で出産したことから火の神、安産の神として富士山の祭神になった。

私は、小学5年生から高校卒業まで、静岡県三島市近郊で暮らした。部屋の窓を開ければ富士山が見える。その富士山の様相は、北斎が描いたように千変万化して人々の暮らしを彩る。冬化粧をした富士山の壮麗さには胸を打たれるし、夏の黒々とした富士山は、桜島の男性的な威容を彷彿とさせる。私の人生の終着点が鹿児島とは思いもよらなかったが、これも木花咲耶姫が結んでくれた縁なのだろう。

過去形から現在完了形へ

私はここで、学生時代から自身の研究の方向性が決まるまでの約20年間について、総括したいと思う。それをしなければ、この書名に値するこれからの研究の10年を構築できないと思うからだ。思えば行き当たりばったりの研究生活だったが、その時その時の決断や判断は、その文脈の中では最善のものだったと信じている。しかし、成し遂げられなかった課題は山のように残った。そのために一線を退いたあとの悶々とした状態、いわば精神的に不完全燃焼の状態になってしまったが、そんな矢先に今回の原稿依頼をいただいた。

これを契機に鬱勃たる思いを清算し、今後は、関心のある分野の研究を続けていきたいと思う。そのためにも過去の軌跡を振り返ることによって、課題や未解決のテーマを再検討し、残された人生の中で充実した研究生活を送れるようにしたい。

私は、静岡の高校を卒業後、早稲田大学第一文学部に入学した。2年生の時に履修した、河竹登志夫先生の一般科目「演劇」の授業には言いようのない衝撃を受けた。演劇を学問の対象にすることの面白さを知った瞬間だったのだ。英語の教員免許の取得をめざしていたことや、何にもまして英語の原文を通してシェイクスピアを勉強したかったので、英文学専攻に進級した。学部3年生（1973年　昭和四十八年）の時には、その後の私に強い影響を与えたイベントが2つあった。

一つは、世界的演出家ピーター・ブルック率いるイギリスロイヤルシェイクスピア劇団による、シェイクスピア作『真夏の夜の夢』の上演を見たことである。舞台装置や衣装、演技などが簡素化され、真っ白な壁に囲まれた「なにもない空間」の中で、白い衣装のみを纏った俳優たちが、空中アクロバットよろしく舞台面から3メートルの高さはあろうかと思われるところに設置されたブランコを乗り回し、また道化のように皿回しもする。2

組の男女の美しい愛と闘争と卑猥な行為、ボトムのグロテスクさが混在するカオスが生み出すメタシアターは、それまでの『真夏の夜の夢』の古典的演出をかなぐり捨てて、作品の世界観をより深く表現するために、現代において再構築されたものだった。この革新的な演出は、私にとって衝撃的であった。

二つ目は、ポーランド出身の演劇学者ヤン・コットの来日講演である。著書『シェイクスピアはわれらの同時代人』の中で、彼はシェイクスピアの作品が、歴史の枠組を超えて現代社会にも通ずる普遍的なテーマを扱っていると考える。すなわち、シェイクスピアの作品における人間の欲望や情熱、人間関係や権力の諸問題などが、現代社会においても存在することを指摘する。それまでは、このようなアプローチの方法が顕著ではなかったがゆえに、シェイクスピアの作品解釈にきわめて大きな影響を与えた。後年私がポーランドに留学することになる理由のひとつが、ヤン・コットに対する関心が強かったことだ。

学部卒業後、大学院修士課程では、倉橋健先生の指導のもと、シェイクスピアのロマンス劇の研究を行った。倉橋先生からは、綿密な研究方法や、シェイクスピアを含めた英米演劇の研究には古代ギリシア、ドイツ、フランス、イタリア、ロシア、北欧などの作家の作品を知り、これらヨーロッパ全体の演劇の歴史や文化的背景を必ず視野に入れなければならないということを学んだ。この指導を受けることによって、私の演劇の世界が一挙に拡大した。倉橋先生は、ロシア演劇にも大変造詣が深く、チェーホフの作品など多くをロシア語から翻訳されている。言語の壁を超えて通時的、共時的研究と同時に地域研究という大きな視点で演劇を眺めれば、比較の観点から差異と共通点が理解できると思う。

教育現場から大学院へ、そして留学

私は家庭の事情で、研究から一旦離れて静岡県伊東市の県立高校の英語教員になった。授業よりも演劇部の顧問として、芝居作りに没頭したものだ。演劇は、演じることによって自分自身を表現するための手段であり、またそれを通して自分自身を理解するための手段にもなりうる。これが他者とのコミュニケーションにもつながり、他者を理解する力を養うことができる。この経験は、のちの桜美林大学における授業作りに活かすことができたし、机上での演劇論ではなく、生身の人間が舞台上で躍動するリアリティの大切さを感得した。

5年間高校教員として勤務したのち、日本の近現代演劇を専門とされている明治大学大学院の菅井幸雄先生のもとで、久保栄の研究をさせていただくことになった。以前から関心を持っていた「演劇におけるリアリズムとは何か」という課題について、戦前期リアリズム演劇の最高峰と言われる戯曲『火山灰地』や評論『迷えるリアリズム』など、久保の多くの作品や評論を、また久保の理論を支えるモスクワ芸術座のスタニスラフスキーの演技システムを読み解くことによって、問題の核心に迫れるように思えたからだ。スタニスラフスキーの著作については、英語版や日本語版で読むことができるものの、一方でロシア語を勉強したいと思い、東中野の新日本文学会付設マヤコフスキー学院に通うことにした。先述のヤン・コット、アンジェイ・ワイダ、イエジー・グロトフスキ、タデウシュ・カントルなど華々しい演劇人、映画人を生み出したポーランドにも着目していたので、同じ学院のポーランド語講座にも参加した。

小山内薫が築地小劇場を立ち上げた頃（1924年　大正十三年）、ポーランドでも同様の演劇活動を行う劇団があった。それが、ユリューシュ・オステルヴァによって1919年に設立された劇団レドゥータであり、第2次世界大戦勃発（1939年）とともに活動を終えた。築地小劇場は、1928年（昭和三年）小山内の死で短命に終わったが、両者とも常設劇場を持ち、俳優教育に熱心に取り組んだ。そして、この東西の両者がめざした舞台表現のお手本が、スタニスラフスキーのモスクワ芸術座だった。小山内は、二度訪露してスタニスラフスキーと面会しており、一方、オステルヴァは、第一次世界大戦中にモスクワ芸術座のスタジオでスタニスラフスキーの方法を学んでいる。オステルヴァが、モスクワ芸術座の創造方法や劇団の運営方法などをどのように学んだかを知ることは、小山内の築地小劇場をよりよく知ることに繋がるだけでなく、演劇におけるリアリズムとは何か、というさらなる課題に取り組む糸口になるように思えたので、久保やスタニスラフスキーの勉強と平行して、ポーランドのクラクフ市にあるヤギェウォ大学演劇学科に2年間留学した。留学中にはできる限り多くの芝居を観るようにした。またオステルヴァに関する資料だけではなく、ポーランドにおけるシェイクスピアの受容と定着に関する資料、先述したヤン・コットの書籍等を収集した。

桜美林学園での研究生活

帰国後、明治大学大学院に復学し、博士後期課程を満期退学したあと、2001年（平成十三年）から桜美林学園にお世話になった。大学在職中は、教育と研究に従事する以外にも様々な学内業務を行う必要があるので、大変忙しかったが、充実した研究生活を送ることができたと考えている。在職中は、主にシェイクスピア研究やポーランド戦間期の演劇運動について研究することができた。２０１４年－１５年にはサバティカルを取得して、半年近くワルシャワやクラクフに滞在し、資料収集を行った。

私は大学の授業が楽しかった。授業と研究を結びつけられれば、教員と学生との間に効果的なフィードバックが生まれる。研究成果を授業に反映させることで、授業の深みが増すのはもちろんのことであるが、さらに教員と学生との間で質問や意見が交わされ、これによって教員は自分の研究について新たなヒントが得られ、新たなアイデアをも生み出すことができる一方、学生も教員の研究内容に関心を持ち、授業に対するモチベーションが一層高まる可能性があるわけだ。

これまで述べてきたことが、私の研究の背景にはある。様々な先生方と出会い、また大変多くのことを先生方から学ぶことができたが、20年間の大学在職中に課題やテーマを消化しきれなかったことは残念でならない。とりわけ私のライフワークにもなった「演劇のリアリズム」の課題は未だに道半ばである。

冒頭で、私の研究生活は行き当たりばったりだと述べたが、妻の協力なしに私の研究は成り立たなかった。高校教員の退職や留学について相談したとき、周囲が反対するなか背中を押してくれたのは妻だった。感謝している。高校、大学在職中の生徒たちや学生たちとの交流も忘れられない。彼らの計画立案の速さや行動力は、時として教員をも置いてきぼりにするくらいのものだ。また彼らからほとばしり出る様々な言説は、アイデアの宝庫かもしれないのだ。

老齢ながら意気軒昂に

私は、妻の持病や私自身の病気の発覚もあって大学を早期に退職したのだが、退職後に気づいて驚いたことがある。

私立大学の教員の定年は70歳が多いと思われるが、70歳で退職した途端、「高齢者」になってしまうという現実だ。65歳以上を「高齢者」と呼ぶが、大学教員は70歳の定年までは懸命に働くだろうから、65歳を過ぎても自分が高齢者になっていることは、自覚しにくいと思われる。70歳ではすでに持病がある可能性もあるので、退職するといきなり高齢者と言われ、場合によっては病気に直面せざるをえない。現在我々二人とも病院通いをしているが、これ以上持病が悪化しないように心掛けているところである。

肉体的なエクササイズは健康増進に役立つが、メンタルヘルスに関するケアも大切なことだと思う。妻は俳句会に参加したり、ピアノを習ったりしている。私は先述したとおり、やり残した課題やテーマについてこの先10年を見据えて、少しずつ進めるつもりでいるが、一方、現在「ポーランド演劇史」の翻訳に取り組んでいるところでもある。日本ではポーランドの演劇史に関する包括的な書籍は、まだ出版されていないので、江湖のお役に立つことができれば、これに勝る喜びはない。「何かの仕事、または作業、できれば頭を使って」が、メンタルヘルスには不可欠であるように思う。

9歳のアイデンティティを求めて

老齢期を迎えて、私にはもうひとつやり終えたいことがある。

私は１９５２年（昭和二十七年）に徳島県北島町に生まれた。

小学3年生のときに父親の転勤で東京都世田谷区に転居するまでの9年間、町の中心を東西に走る県道の沿線約3キロのエリアが私の世界だった。そこは、町の北側を流れる旧吉野川と南側を流れる今切川が合流するところであり、幼稚園、小学校、中学校、ちょっとした商店街、国鉄の駅、病院、役場や父親が勤める工場、映画館もあった。映画『スタンド・バイ・ミー』の主人公ゴーディ少年が、のちに作家となって、自分が住んでいた小さな田舎町キャッスル・ロックのことを「自分にとって世界のすべてだった」と述懐するシーンは、私の幼い頃のおぼろげな記憶と重なり、胸に迫るものがある。

自分史を辿ると言えば大袈裟になるが、自分のルーツのようなものを探して確かめたいと思うのだ。誰しも生まれた土地に回帰したいと一度は思うかもしれない。私の記憶は、まるで幻灯機で一コマずつ静止画像を見るかのように、断片的にしか浮き上がってこない。時も場所もはっきりしない記憶である。小さい頃の記憶の無数に浮かび上がる断片画像を実際に残っている写真に繋げて、私の徳島の物語を完成させることができれば、私にとっては人生のまとめになるかもしれない。近々のうちに、徳島に過去への旅をしようと思っている。

［運命のいたずらと時代の波に導かれしわが学問］

小林登志生

1946年東京生まれ。

1974年オレゴン州ポートランド、ルイス・アンド・クラーク大学卒業、1978年ハワイ大学大学院修了後、在ホノルル日本国総領事館勤務。1986年甲子園大学助教授（国際コミュニケーション論担当）。

1992年文部省大学共同利用機関放送教育開発センター教授（国際交流委員長）。2004年名称変更しメディア教育開発センターに。

2001－2010年日本ユネスコ国内委員会委員（2004年－コミュニケーション小委員会委員長）、2004年総合研究大学院大学（総研大）文化科学研究科併任教授。

2009年メディア教育開発センターおよび総研大退任。2010－2014年総研大・学長特別補佐。

はじめに

「君はこんなところで何をしてるんだ。日本に帰ったらいったいどうするつもりかね。せいぜいよくて田舎の英語の教師にでもなれるかどうかだがね」。学部の学生時代、ポートランドを訪れたある国立大学教授に言われたことである。クラシック音楽家の両親の下で育ち、自分も音楽を目指しドイツに留学するつもりが、歳上の女性に恋をし彼女の親に猛反対され、音楽を学びに欧州へ行くことを断念し、人生急展開でアメリカに駆け落ちし、心理学を専攻し学業と生活のため米国社会の底辺で雑多な仕事をしながら貧乏学生生活を送っていた時代のことである。私の最初のキャリアは、そう〝貧乏留学生〟で、それを通算6年間続けたのである。

振り返ってみると、私は、自分のその後のキャリアを80年代に日本中を席巻した「国際化フィーバー」と共に築いてきたのだった。全くの運で、いつもたまたま、いい場所にタイミングよくいて、たまたま選択した道が時代の流れに乗って、次のステップへの移行の基盤作りに役立ち、その過程で起きたさまざまな出会いと出来事が将来につながり……最後には、全てが糸を通すようにうまい具合に、一つの仕事から次のポストに就くために役立ち、今日の私につながったのである。さらに幸運だったのは、人生のその時々の段階で、私の転職やキャリアプロモーションに手を差し伸べ、支援してくれた人々がいたことである。これまで歩んで来た人生を通して、人が出世したり幸せを掴むのは運命のいたずらと、さらにはどのような人々に出会うかによるということを実感した。それが人の浮き沈みを左右するということを。

新たな学問領域「異文化コミュニケーション」

１９７４年に卒業後、経済事情により心理学専攻で他州の大学院への進学予定を断念せざるを得なくなり、「ポートランド州立大学大学院で、異文化コミュニケーションという領域で修士課程が新たに設置されたので、そこに行ったら心理学を学んだ日本人の君に向いているのではないか……ただし、その分野が将来どのような役に立つかはわからないがね」という指導教授の薦めで、当時新たな学問分野として米国で確立されつつあった〝異文化コミュニケーション〟の最初のＭＡコースが設置されたポートランド州立大学（ＰＳＵ）大学院に進んだ。これが私と異文化コミュニケーションとの出会いであった。当時アメリカでも〝コミュニケーション〟という学問自体が新たな社会科学における領域として未知数で、未だその大学院コースもあまりなかった時代だった。いわんやその内の一分野である異文化コミュニケーションである。余談だが、ＰＳＵでこの新大学院コースをつくったラレイ・バーナ先生は、ハリウッド女優のような美人教授であった。私は、彼女の最初の日本人〝門下生〟の一人となったのである。

ＰＳＵでの最初の学期に、毎週有志学生を集めてグループを組織し、異文化コミュニケーションに関わる様々な問題に焦点を当てたディスカッション・グループを主宰した。私が、何年も経た後に国際ネットワークを構築し、実施するようになる研究活動のプロトタイプとなった。その後、父の病期見舞いで一時帰国したのを契機に、異文化コミュニケーションを研究するには最も理想的な環境と言われたハワイ大学大学院へ転入学した。

貧乏留学生から準外交官へ

ホノルルに移った時、ハワイという所は、アメリカの一部でありながら異文化圏なのだと思った。まず、地元の人々の話す英語に特有の抑揚と、文法などを省略する話し方に慣れるまでに暫くかかった。そのローカルの英語を聞いて、自分は〝外国〟にいるんだと実感させられた。

さらには、当時のハワイはその人口の四分の一が日系人であるにもかかわらず、なぜか日系のハワイの人たちの中にいると違和感と疎外感を覚え、その理由が何なのかが理解できなかった。後に、在ホノルル総領事館に入ってから、私を訪問先に乗せて行く運転手さんに、「そりゃあ、ミスターコバヤシ、あんたが〝コトン〟じゃけん！」と言われた。その意味は、私の英語の話し方が、米本土の日系アメリカ人、または〝ハオレ（白人）〟のようだ、ということだった。私の場合、さらに始末の悪いことに、日本語の方も東京生まれであり、〝本土〟の日本語であるということを思い知らされた。地元日系人社会にすんなり受け入れられるには、日本語もローカルの人のように〝岡山弁〟や〝広島弁〟で話せるようにならなければならず、とても無理だと思った。ちなみに本土の日系アメリカ人が、ハワイの日系人のことを侮蔑的に言うときは〝ブッダヘッド〟と言うことをその時に知った。

ハワイ大学大学院で学位を取得するための勉学を再開するにあたり、私の指導教授となったのは、ジョン・バイストラムという、当時用済みとなった軍事通信衛星を用いて南太平洋の島々への遠隔教育、医療支援プログラムを立ち上げたパイオニアであった。奇しくも、先端通信技術を利用した異文化間の遠隔学習システムに関わる研究は、後に大学人となった私の主要研究テーマとなるのである。

修士課程修了後、当時の在ホノルル総領事に求められスタッフとなり外交の世界に入った。ご自身も苦学生だったということの総領事とは、私がハワイ大学在学中に大学当局に求められ「日米学生協会（JASA）」創立に奔走し、その初代会長に選出され、その後その交流活動が日系新聞にインタビューされ報道記事となり、それがきっかけとなり知己を得たのである。

私の学生ビザは、ホノルル移民局の局長室で局長と談笑している間に、それまでのように何時間も長い列に並ぶこともなく、学生から外交官用に書き換えられた。一夜にして、長年不法労働者として働き、いつ何時見つかって強制送還されるかとひやひやしていた貧乏留学生から一変して領事館員の身分となる、まさに劇的な変化であった。私のアメリカにおける長年にわたるステータスであった「貧乏留学生」からの脱却であった。

1978年に〝准外交官〟となった私のホノルル在勤当時は、まだ米ソ超大国間の「冷戦」が続き、太平洋にソ連の軍事的脅威が厳然として存在していた時代であった。また日米間にも経済・貿易摩擦・防衛問題など懸案事項が山積していた時期でもあった。東京とワシントンとの中間に位置するハワイでは、それら両国の重要案件に関する協議、会談が行われ、私は、その多くに通訳として、またはロジスティック担当で関与し、通常は得られない経験で多くを学んだ。

昨日まで貧乏留学生だった私に命ぜられた最初の仕事は、日米間の最重要の外交案件であった防衛問題に関する秘密会談の通訳を務めることであった。内容の機密性から、部外者を排除しパールハーバーに海軍の小艇を浮かべ、そこで東京とワシントンからの高官が秘密裡に会談するのである。議案は日本が自国防衛にどの程度の負担をすべきかという、今日にも続くシーリング（GPAに対し国防費の割合を何％にするか）に関する内容であった。私のような者がこのような国家の重要問題の通訳でいいのだろうかと驚いたのを覚えている。

ハワイ時代の公務には、上記以外にも多くのVIP――国会議員、大臣、高級官僚、学者、記者、また時には皇族などに同行して世話をする任務もあり、通常は得られない著名人の知己を得ることもあった。そうした公務を通して知り合い親しくなった中に、当時京都大学経済研究所の所長（後の滋賀大学長）だった尾上久雄先生がおられた。

尾上先生とは、イタリア語が縁でお付き合いをさせていただくようになったのである。イタリア語は、一時帰国していた時に従兄の友人でジェノア出身のイタリア青年から習っていたのだ。たまたま親しいハワイ大学の教授が、尾上先生の共同研究仲間だったことから、自宅でパーティーを開き仲介の労をとってくれた。しかし折角の計らいにもかかわらず、しばらくは先生との間で会話も弾まず背を向け合ってホストをハラハラさせていた。そのうち食事が始まり、ワインが入ってご機嫌の主賓が、それまで英語で話していたのが突然イタリア語で何かジョークを言った。それに対し、こちらもすかさずほろ酔い加減でイタリア語で何か応じたものである。何を言ったのかは覚えてないが、このやりとりで二人はすっかり意気投合し、ホストをホッとさせたのである。後になって、尾上先生は、著名な経済学者であるとともに有名なイタリア通でイタリア語にも堪能な方だと知った。このご縁で、数年後に某私立大学の助教授のポストに推薦するので帰国しては、という手紙をいただいたのが人生の大きな転機となったのである。

当時国内の各分野に起こった「国際化」という機運を背景に、文部省が大学の門戸開放を推進するという時代の流れもあったにせよ、にわか仕込みのイタリア語がまさか自分の将来の行方を左右することになろうとは夢にも思わなかった。

神戸時代

私に助教授ポストを提供してくれた甲子園大学は、有名な宝塚歌劇場の上にある六甲山に連なる山上に位置し、素晴らしい環境にあった。小さな大学であったが、そのキャンパス環境と、晴れた日には大阪市内や大阪城も遠望できるパノラマの様な眺望を楽しんだ。私にとっては初めての教職であり、当初〝先生〟と呼ばれること、および北米とは全く異なる学生の学習カルチャーに慣れるのに暫くかかった。また、学長や同僚が、「小林先生は、〝元外交官〟とか〝元官僚〟でね……」などと私を紹介するのに苛立ちと不快感を覚えた。総領事館時代の私は正規に認証され派遣された外交官でもなく、さらには携わった任務や課された責務に相応しい待遇で処遇されていたわけでもなかったからである。日本の官僚機構には、江戸時代の武士にあったのと同様の階層的身分差別があり、その中では私のごとき存在は無いに等しかった。よく言って「足軽」か？

神戸の大学での教職時代に、私は忘れられない海外旅行を二回した。その一つはヨーロッパへの旅であった。１９９０年の春、ブダペストで、民主化後の東欧で初めて開催された「国際未来学会」に参加する機会を得た時である。ベルリンの壁崩壊と、その後に続くソ連邦社会主義体制の終焉を迎えた歴史的な時期であった。私は、ソヴィエトと東ヨーロッパにわたり旅行し、当時欧州の同地域で起きていた「民主化運動」による、正に劇的な変容を現地で目の当たりにすることができたのである。

もう一つの忘れ難い旅は、その翌年、当時の放送教育開発センターが、加藤秀俊所長の下で実施した最初の主要国際プロジェクト「アジア・太平洋地域における遠隔教育の実情調査」チームのメンバーとして参加した調査旅行だった。その研究プロジェクトチームの統括は、学習院大学の川嶋辰彦教授だった。フィジーのスヴァに所在する南太平洋大学での一週間の準備セミナーの間に、川嶋教授とはお互いをファーストネームで呼び合うほど親しくなった。機関銃のように早口で喋る私とは正反対に、ゆったりと上品に話す川嶋先生が私のことを優雅な口調で、「トシオさあん」と呼ぶので、私は先生をなんと呼べばいいのか、とお尋ねしたところ、「では〝タツ〟とでも呼んでください」とおっしゃり、そう呼び合うようになったのである。その後、私のチームはメラネシアに向かい、ヴァヌアツとソロモン諸島に行った。メラネシア文化について学んだほか、ソロモン諸島滞在中には滅多にはない忘れ難い体験をした。

広く知られているように、ここは、太平洋戦争中に激しい戦闘が行われた地域である。

先ずはガダルカナルに到着した時に、ヘンダーソン飛行場に展示されていた頭蓋骨の山の写真に胸を打たれ、その後、日米軍双方の錆びついた武器弾薬類が島内いたるところに散乱している光景に驚かされた。ソロモン諸島の住人へのインタビューで興味深かったのは、彼らの住む島で戦闘が行われたにもかかわらず、反日感情を抱いてはいないように見受けられ、むしろ親日的であったことである。島の小さな滑走路を管理している老人は、当時覚えた日本の軍歌をいくつか歌ってくれ、日本軍による占領時代を、むしろ懐かしむ様子さえあった。

ガダルカナル島で特に印象深く鮮烈に目に焼き付いているのは、砂浜に半ば埋もれ鉄錆びだらけになった高射砲の砲身がにょっきり空に向かって突き立ち、その背景で巨大なオレンジ色の太陽が南太平洋の水平線に沈んでいく光景だった。その砂浜は、日米双方の戦死者の血で赤く染まり、かって地元民に〝レッドビーチ〟と呼ばれていたそうである。われわれのホニアラ（ソロモン諸島の首都）滞在中、何人もの海外協力隊のメンバーが日本兵の亡霊にとりつかれ、気がおかしくなり日本に送り返されたという幽霊話を耳にした。

私のメラネシア調査班は、私と、後にカツオの研究で知られるようになった若林良和氏（現愛媛大教授）の二人で成っていた。17人乗りの小型双発プロペラ機でホニアラから近くの離島に移動した時、低空飛行だったので、濃青色の珊瑚礁の海底に軍艦、油輸送船、さらに沈んだ戦闘機の残骸までもが横たわっている姿を散見できた。当初一泊の予定だったが、思わぬ悲劇が起きた。われわれ数名の客を、その小さな離島に降ろした後、翌日その島でまた私達を乗せホニアラへ戻ることになっていた飛行機が消えたのである。オーストラリア空軍による行方不明になった飛行機の捜索が行われていた間は、すべてのローカル航空機の飛行は停止された。私達は、日本の水産会社所有の缶詰工場以外には何もない寂しい島に立ち往生となったのである。その島は、たまたま日本のカツオ漁船の基地となっていた。若林氏は、おかげで専門研究領域に関わる予期しないインタビューおよびフィールドワークをすることができ喜んでいた。

一方、私の方は、付近の小さな無人島に撃墜された戦闘機の残骸があると聞き、そこに行ってみることにした。最初は小舟に乗り、それから文字通り地元の青年におぶわれ現場に向かった。その文明から疎外された撃墜場所に行くには、ボートを降り、不発弾と、突き出た鋭い茎でいっぱいの浅瀬を歩いて渡らなければならなかった。ローカルの青年は、一向に気にせず私を背に乗せ難なく素足で岸まで歩いて行った。撃墜されていたのはアメリカのグラマン戦闘機だった。おそらくは、空中戦か日本軍の対空砲火で撃墜されたのだろう。それぞれの家から遠く離れたこのようなところで戦い死んでいった米国と日本の若者達を思いやり重い気持ちになった。

数日後、行方不明になっていたわれわれの飛行機が発見された。ジャングルに墜落し、搭乗者全員が命を落としていた。はげしいスコールと、オーストラリアからソロモン諸島航空に雇用されたばかりのパイロットの地理不案内が原因とのことだった。私達は、迎えの別便でホニアラに戻った。私は若林氏と別れ、そこからオーストラリアのブリスベーンに向かった。思わぬスリルであり、予期せぬ悲劇的な体験だった。運命のいたずらで、もしかしたら私達もその事故で死んだかもしれなかったのである。

もし、この時の南太平洋の調査研究旅行がなかったら、そして、川嶋教授と親しい関係にならなかったなら、私は放送教育開発センター（２００４年、メディア教育開発センターに名称変更、英語名はそのままＮＩＭＥ――National Institute of Multimedia Education）との縁もなく、国際遠隔教育に深く携わることもなかったであろう。その年の数ヶ月後、私はＮＩＭＥ教官及び研究プロジェクト主査として招聘され、神戸から幕張へ移り、現在の私に至ったのである。

幕張への移籍については、川嶋先生の大いなる関与があったことを記しておく。ある夜、神戸の自宅の電話が鳴った。私が出ると、聞き慣れた柔らかな口調で、「タツですが、奥様いらっしゃる?」と、「なぜ家内に??」と不思議に思ったが、しばらく彼女と話したあと私には代わらずそのまま電話を切った。すぐに妻の雅子が、「あなたは、加藤先生や川嶋先生のような方がこれほどお誘いくださってるのに、何故素直にお受けしないの?」と私が幕張へ行くことをずっと断り続けていることをなじった。不遜なようだが、私はホノルル時代の国の機関の人の使い方に納得いかず、もう〝お上〟に仕えるのは二度と嫌だと思っていたし、帰国後の神戸での生活に満足してもいたのだ。しかしタツさんの、直接私ではなく家内を取り込んでの巧妙な説得に敗け、加藤所長にオッファーを受ける旨の手紙を書いたのである。今になって考えると、お二人が引っ張ってくださって、ありがたいと思っている。後に知ったことだが、学部長と一部同僚は、私が帰国以来ずっと中央に返り咲くため働きかけをしていたに違いないと思っていたようである。そんなことは全くなかったのだが。

私の人生の変遷に深く関わった川嶋タツさんも先に逝ってしまい寂しい限り!

振り返ってみると、私は、自分の教授としてのキャリアー形成以前に、さまざまな日米間の外交案件に携わったホノルルと多くの国際連携研究プロジェクトを推進した千葉の幕張時代の合間に、神戸で教員経験を得る事ができ幸運だった。神戸で教えていた時代は、徐々に高等教育界が入学者数の減少、新入生募集における競合、さらには諸大学にとって究極的な財政難と人員削減につながる厳しい「冬の時代」へと向かっていた時期であった。

幕張、ＮＩＭＥで

神戸の小さな私立大学で国際コミュニケーション論と英語を6年間担当した後、いろいろな意味で最も充実したキャリアーとなる文部省の大学共同利用機関の一つであった放送教育開発センター（当時）に招かれ教官になった。当初は、幕張では1、2年だけ勤め、その後、同じ大学のポストでなくても関西地域に戻るつもりだった。ところが、諸々の理由でここには17年間もいることになってしまったのである。しかし、ＮＩＭＥに在勤期間のうち13年間は単身赴任を続け、仕事のある千葉と子供達の学校と家庭がある神戸との間を東奔西走していた。

長年ＮＩＭＥに在職した主な理由の一つは、そこが大学ではなく研究機関であり、単に机上の空論でない、実際に異文化、国際コミュニケーションに関わる共同研究を海外の大学や機関と実施できる場であったからである。在職中には、異文化にまたがる国際遠隔教育の向上と発展を目指す国際共同プロジェクト〝ＡＩＤＥ〟(Avancement of International Distance Education) を非英語圏諸国（トルコ、ロシア、オーストリア）で立ち上げフォーラムを開催した。また、自分の研究プロジェクト推進のみでなく、国際交流委員会の万年委員長として、また多くの国際イベントを企画・実行委員長として開催し、ＮＩＭＥの国際的な認知度を高め、その活動を知らしめる〝大使〟のような役割も担ってきた。ＮＩＭＥ在職中は、海外の大学や研究機関との共同研究を推進し、多くの国際会議に参加し講演するなど、世界中を飛び回る機会を得た。

そのＮＩＭＥも、皮肉なことに私の定年退職年（２００９年）に政権交代による政争の具となり廃止機関にされ、放送大学に取り込まれ消え去ってしまった。私は、以前からむしろ放送大学を NATIONAL INSTITUTE 内の一機関としてＮＩＭＥに取り込むべきと思っていたのにである。それも、日本にＮＩＭＥありと海外での認知度と声望も高まりつつある時にである。海外の同様機関の仲間たちからは、日本政府はなんという馬鹿なことをするんだ、という非難の声が私の許に多く寄せられたが、自分自身も退官する身で致し方なかった。これからという時に本当に残念であった。これまでの努力はいったい何だったのかと、虚しい想いに駆られた。

その後

主要なキャリアを積んだメディア教育開発センターが民主党政権により廃止機関とされ、同時に私も定年を迎えたわけだが、その後のことについて簡潔に記す。

・娘と退官記念旅行（２００９、パリ、ローマ、フィレンツェ）
・総研大学長に招かれ学長特別補佐に就任（２０１０－１４）
・総研大を看板にプロジェクト継続、〝ＡＩＤＥ〟のサブプロジェクトだった神田外語大とインスブルック大の学生交流遠隔ディスカッション、ドイツとの遠隔ワークショップ、他（２０１０－２０１２）
・心身を鍛えるため近所の道場で小学生達に混じり剣道を始める（２０１０）真面目に道場に通い一年半後に初段
・ユネスコ国内委員会関連講演（エストニア、タリン ２０１０）

・妻の他界（２０１４）――定年後退官後いろいろあった中で一番大きな出来事は、家内が亡くなったことだった。彼女とのことは、別の機会に改めて書きたいと思っているが、先に逝かれたのは、私にとっては大きな痛手で人生の大番狂わせであった。何故なら私の方が彼女に看取られて先に逝くつもりであったから。２０１２年に癌が全身に拡がっているとわかり余命〝２ヶ月〟と診断されたのである。娘の一人が、直ぐに仕事を辞めずっと付き添って看病をしてくれ延命し、大いに感謝している。病院側の勧めもあり、２０１４年の春に双子の娘たちの合同結婚式を見届け6月に逝ったのである。

・長年の〝盟友〟久米先生が立教大学退任後 Lifework として立ちあげたアジア・太平洋センター設立構想（仮称ＡＰＣプロジェクト）メンバーとなる（２０１４〜）世界の恒久的平和のためハワイの東西センーをモデルに沖縄を拠点に国際的な教育研究交流機関を設立するという同構想案に対する賛同者を募り実現に向けた活動に参加

・久米構想推進、東西センターの国際的会議にて発表（沖縄、マニラ２０１４）

・チュラロンコン大学主催の国際会議に基調講演者として招かれ講演、その後大学側の招待でタイ国内旅行（２０１４）

・台湾へ旅行（２０１５＆２０１６年の正月）

・欧州旅行＋研究仲間訪問――トルコ、ギリシャ、イタリア、フランス（２０１６年）。仏でナチス戦争犯罪（村民虐殺）現場訪問、ショパンゆかりのノアンのジョルジュサンドの館訪問滞在
・久米構想推進、第一回東京フォーラム開催（２０１７）準備中に転倒（２０１７年最初）上腕骨粉砕　手術入院→剣道断念
・文化交流親善使節団メンバーとして旧ユーゴスラビア諸国歴訪、ベオグラードでNATOによる空爆地区視察、ボスニアにて民族浄化の現地視察、サラエヴォ大学訪問（２０１８）
・水頭症が歩行困難・転倒の原因と判明、手術入院
・息子家族と国内旅行（２０２０、中国、四国、関西、伊豆、etc.）
・転倒の後遺症による右手指の痺れ治らず、長年弾いてきたピアノを諦めリハビリを兼ねヴァイオリンレッスンを始める（２０２１～）
・久米構想、第二回フォーラム〝沖縄復帰50周年記念〟開催、参加
・２０１７～現在　9回救急搬送、入退院繰り返す

おわりに――エピローグ

さて、いつの間にか最後の職を辞して10年余りが過ぎ去った。人生の最終段階を迎えつつある昨今、自分のベッドルームの奥にある2畳ほどの書斎にこもり日がな一日、本棚からいろいろ本を取り出してそこかしこ拾い読みをする。その中に義父が亡くなる前に書き残した一冊がある。自分の半生を激動の時代史を織り交ぜて綴った労作である。470頁余のなかなかの力作でもある。あらためて読んで感銘を受けた。その時は発奮し、「よし、俺も何かテーマを決め子や孫に伝える作品でも……」と勢いこむのだが、根が生来の怠け者、それに義父のように地道な人生を歩んだきたわけでもなく、尻を叩いてくれる家内もすでに先立ち、結局は無為な時間を過ごすのみ。一日中布団の中に潜って惰眠を貪り家中で怠け者のレッテルを貼られている飼い猫の〝銀次〟と、なんら変わらないのである。残り少ない余生をどう送るか、これからの課題である。

3 終わることなき「生涯の学問」

[人生と学問]

上川孝夫

東京教育大学文学部哲学科卒業。大学院等を経て、横浜国立大学経済学部教授、同経済学部長、同大学院国際社会科学研究院教授、放送大学客員教授を歴任。

現在、横浜国立大学名誉教授。

定年時の所属先：横浜国立大学（大学院国際社会科学研究院）。

研究テーマ：経済学、国際金融論。

[主著]

『欧州中央銀行の金融政策とユーロ』共著：〔有斐閣 2004〕

『世界金融危機』編著：〔春風社 2010〕

『国際通貨体制と世界金融危機』編著：〔日本経済評論社 2011〕

『現代国際金融論（第四版）』編著：〔有斐閣 2012〕

『国際金融史』〔日本経済評論社 2015〕他

私の定年

定年に何を思うかは人それぞれであろうが、私には特別の感慨のようなものはわかなかった。大学に定年はあっても、研究に定年はない。定年で自らの研究人生を二分して考える必要はない。そう思っていたからである。しかし、それだけではない。私の専門である国際金融には、事実上休みというものがない。国際金融とは、わかりやすく言えば、日々地球を駆けめぐるお金を対象とする学問だが、外国為替や株式などは、24時間、世界のどこかで取引されている。しかも時に大きな危機が起きる。

思えば横浜国立大学に在職していた25年余り（１９８９年10月～２０１６年３月）は、世界で危機が頻発した時期と重なる。赴任当初の１９９０年代は、日本のバブル崩壊に続き、ヨーロッパ、メキシコ、アジア、ロシア、ブラジルと次々に通貨危機が起きた。ロンドン大学で長期の研究に従事していた２００１年は「９・11」、そして大恐慌以来の金融危機といわれた２００８年のリーマン・ブラザーズ破綻当日は、講演などの用事で北京に滞在していた。定年後も、新型コロナウイルス感染症の世界的流行、ロシアによるウクライナ侵攻、世界的な物価高や利上げで、金融市場は日々激しく動いている。それをウォッチするのが日課の一つである。

　定年後、しばらくの間、現役の頃と同じような仕事が続いた。学内の会議や講義、ゼミナールなどはなくなったが、一部の授業を非常勤で受け持ち、他大学でも授業を行った。また新たに放送大学で授業とゼミナールを担当した。ゼミナールは今も続いている。雑誌への寄稿、ビジネス誌の書評委員などの仕事の量も、現役の頃とあまり変わらない。学会報告や講演の依頼などもあるが、テーマはやはり、リーマンショックなどの金融危機に関連したものが多い。

　私が学部時代に専攻したのは哲学である。主にギリシャ哲学とドイツ哲学であった。ある新聞社から取材を受けた際、「どうして哲学から国際金融への道を？」と聞かれたことがある。哲学と国際金融は水と油のような関係にあると思ったのだろう。私は即座に「ともに世界の本質を極める学問ですね」と答えたが、相手にポカンとされ、それ以上議論は進まなかった。後日、『蛍雪時代』（旺文社）の編集部から、受験生向けに私の学問の紹介をしてほしいとの依頼があった時、わが意を得たりとばかりに、哲学から国際金融への自身の歩みについて書かせていただいた。同時に大学のゼミナールの重要性にも触れた。

　横国大のゼミナールの教え子たちとの交流は今も続いている。ゼミ生は概数で学部

380名、大学院120名、計500名である。ゼミでは学生同士がしばしば喧々諤々の議論を繰り広げた。コロナ前には大学院の同窓会を上海や北京でも開催した。コロナが一時落ち着いた2022年には、学部のOBOG会から対面講義の依頼があり、ギリシャ哲学の話をした。戦争、感染症、民主主義の危機と続く現在は、ソクラテスやプラトンが登場した頃、すなわち紀元前5世紀から4世紀にかけてのアテナイの世相に似ていると思う。当時の戦争はアテナイがスパルタとの覇権争いに敗れる契機になった「ペロポネソス戦争」である。開戦直後のアテナイでは人口の三分の一を失ったといわれる疫病が発生し、敗戦後にはアテナイの直接民主制が一時崩壊し、僭主政が出現する。いつの時代も政治や社会が混乱すると、哲学の出番が来るようである。

新たな研究へ

私の専門である国際金融という学問は、大きく理論、歴史、現状、政策に分けられる。現役の頃にこれら全領域をカバーした教科書も出版したが、歳を重ねるにつれて、歴史に対する関心が強くなった。世界の通貨・金融システムについて、19世紀から現在までを通観した著書を、現役最後の年に出版した。その本の構成は、やや専門的になるが、19世紀の国際金本位制、戦間期の大恐慌、第二次大戦後のブレトンウッズ体制、1970年代以降の変動相場制、そして2008年のリーマンショック、となっている。これは大きく見ると、イギリスからアメリカへ覇権が移動する時期と重なっている。

定年後は、この研究を発展させるつもりでいた。時期をさらに遡って、17世紀から18世紀初頭にかけてのオランダの「黄金時代」といわれる時期から現代を照射するという構想である。オランダのこの時代は未解明の部分が多い。後続のイギリスが経済成長を遂げ、産業資本の母国といわれたのに対して、オランダの繁栄は商業資本の中継貿易を主体とする「前近代的」な性格のものにとどまっていたとするのが通説だろう。しかしその一方で、中核都市アムステルダムが国際金融センターとして台頭し、その後のロンドンやニューヨークへ継承されていく点に注目して、「近代的」な面に光を当てる見解もある。この両者を整合的に捉える研究が必要だと思っていた。

しかしこの構想は、新型コロナウイルスの世界的流行という「衝撃」を受けて頓挫した。コロナ禍は、より大きな視座をわれわれにつきつけていると感じた。人類史とマネーという視座から、感染症といった事態を引き起こした遠因を考えながら、学部時代に哲学で触れた古代ギリシャあたりまで遡って、マネーの全体史を素描してみたくなった。海外にそうした試みはなくはないが、まだ緒についたばかりで、本格的にはこれからである。

この新たな研究計画には布石のようなものがあった。かつて私はイギリスのＢＢＣ（イギリス放送協会）が編集した『マネーの進化史』の日本語訳（丸善出版）を監修したことがある。原作者はハーバード大学教授の歴史家ニール・ファーガソンで、古代から最近のリーマンショックまでカバーした大作だ。また、私が日頃関心を持っているヨーロッパ貨幣史の分野では、古銭学、考古学、文献学なども含めて、実に膨大な先行研究が海外にあることを把握していたし、主要国の中央銀行や国立公文書館などにも、貴重な一次史料が収められている。

マネーの歴史を紐解くと、各時代を象徴する貨幣がある。古代ではギリシャのドラクマ、ローマ帝国のデナリウスやソリドゥスが有名である。中世にはイタリア都市国家フィレンツェのフローリンが名声を博し、これに東方のビザンチン帝国のソリドゥスや、イスラーム帝国のディナールが加わる。「大航海時代」に入るとスペイン・ドル、近世にはオランダ・ギルダーがそれぞれ台頭する。さらに近・現代に下がると、イギリス・ポンド、そしてアメリカ・ドルと覇権通貨が変わる。この間、ヨーロッパでは単一通貨ユーロが誕生したが、アジアの一角、日本円は近年凋落傾向にある。今後の焦点は、中国の人民元がどうなるかであろう。マネー史を解明するには、政治経済的な覇権という視点が不可欠である。

ところで、歴史上の貨幣としては、地域や時期により例外はあるが、初期の頃は穀物などの物品貨幣、また時を経て、銀貨や金貨などが使われていた。コインの発明以前に、信用（貸借）取引が行われていたとの記録もある。その後、民間銀行や中央銀行を中心とする金融制度が確立するにつれて、銀行券や銀行預金（口座）を使った決済や融資が広がるようになる。さらに、株式や債券、保険、不動産といった分野で、様々な金融商品が開発され、取引が拡大していくのである。今後、中央銀行の「デジタル通貨」が登場すれば、人類とマネーの関係はさらに変貌を遂げることになる。マネー史では、こうした技術革新の歴史的意味も解き明かす必要がある。

その一方で、マネーには時として社会を奈落の底に突き落とすような大きな破壊力があることも忘れてはならない。それは世界大恐慌やリーマンショックのような一大金融危機に示されている。危機の源流を訪ねると、古代ローマ帝国ではネロ皇帝の頃からコインの改鋳が繰り返し行われるようになったといわれる。また16世紀のスペインは、アメリカ新大陸から巨額の銀を略奪したにもかかわらず、戦費の負担などから財政危機に陥り、幾度となく「債務不履行」（金融業者に対する元利払いの停止）に訴えたという歴史をもつ。哲学に学んで以来、私の脳裏に焼きついて離れなかったのは、こうしたマネーが引き起こす倫理的な諸問題である。金融危機や倫理の視点から、マネーと人類の関係を掘り下げることは、すぐれて今日的な課題でもあろう。

高齢期の学問

冒頭に、研究に定年はない、と書いた。しかし、学問とずっと向き合えるのは、なによりも健康であること、最近の言葉でいえば、「健康寿命」を維持することができる場合であろう。その前提が崩れれば、研究者としても定年を迎えることになると思うが、周囲から健康を気遣う言葉がだんだんと増えてきているのも事実である。前期高齢者、後期高齢者などという暗い響きのするお役所言葉は止めにしてほしいが、高齢期なのだと自覚する。

歴史を遡れば、高齢期に入って後世に残るような仕事をした人物は少なくない。たとえば、ギリシャ哲学の始祖ソクラテスがアテナイの民衆裁判により死刑判決を受け、毒杯を呷って死んだのは70歳の頃。ソクラテスは著書を残しておらず、裁判の様子を描いた弟子プラトンの不朽の名篇といわれる『ソクラテスの弁明』（岩波文庫）が事の本質を伝えているとされる。このプラトンの本の内容から察するに、哲学の原義たる「智慧の愛求」（同書、久保勉訳）の意義を説くソクラテスの弁論には、高齢期の人間とは思えないほどの迫力があったようだ。

ドイツの哲学者カントも、71歳の時に『永遠平和のために』（岩波文庫）という、これまた後世に残る本を出した。諸国間の戦争が続くなかにあって、各国の常備軍の廃止と国際組織の設立を呼びかけた。この本の副題に「一哲学的考察」とある。永遠平和とは人類が全体として道徳的完成を遂げるための義務、すなわち道徳的義務と位置づけられているのである。このカントの思想が、後にアメリカの大統領ウィルソンを動かし、国際連盟の設立に結びついたという話は有名である。

高齢期には、仲間やパートナーと力を合わせて共同で知的営みを行うというのも、一つの在り方だろう。経済学者には年齢を問わず愛妻家で知られた人物がいる。その筆頭にくるのは、おそらく、イギリス古典派経済学者のジョン・スチュアート・ミルではなかろうか。彼の著書『自由論』（岩波文庫）は、若い頃からのパートナー（後に妻）であるハリエットとの事実上の共著といわれ、日本の旧制高等学校でもよく読まれたと聞く。著名な思想家ハイルブローナーは、この二人を「最高の組み合わせ」（『世俗の思想家たち』八木甫ほか訳、HBJ出版局）と称賛した。

学者人生は実に様々である。ドイツの哲学者ヘーゲルは51歳でコレラに倒れたと伝えられる。社会学者マックス・ヴェーバーがスペイン風邪によると思われる肺炎のため自宅で亡くなったのは56歳の時である。その時の様子を妻マリアンネがこう綴っている。「夕方最後の息を引き取る。息を引き取りつつあるとき雷雨が起こり、電光が彼の青ざめた顔を一瞬照らす。彼は死せる騎士の像になる。…大地はその様を変えた」（パウル－ハインツ・ケステルス『世界を変えた12人の経済学者』長尾史郎訳、TBSブリタニカ）。永遠平和を希求したカントは80歳まで生きて長寿であったが、晩年は今でいう老人性認知症に悩まされたという。

プラトンの大作『国家』には、壮年ソクラテスとケパロス老人との有名な対話が出てくる。ソクラテスが高齢の方々と話を交わすことは歓びと言って、その理由をケパロスに語る。「…われわれも通らなければならない道を先に通られた方々なのですから、その道がどのようなものか、平坦でない険しい道なのか、それとも楽に行ける楽しい道なのか…。

それは人生のうちでもつらい時期なのか、それともあなたとしてはそれをどのように報告なさるのか、聞かせていただければありがたいですね」（上、藤沢令夫訳、岩波文庫）。

かりにこの道が学問の道であるとした場合、高齢期に達した私なら何と答えるだろうか。学問の道が平坦でないのはもちろんだが、しかしそれ以上に、この道の先には何があるのかと、いつも心躍る、楽しい旅であったことを指摘しないわけにはいかない。それがどんなに困難な道であっても、ゆるぎない精神で歩み続ける、そのプロセスの中に歓びが感じられるというのが、学問の醍醐味の一つであると思う。学問という営為が、これに取り組む者に大きな歓びをもたらし、自己をさらなる高みへと押し上げる力になることは確かである。

［人間になることを問い続けて］

吉村文男

1970年4月、大阪工業大学の専任講師に就任。以後、京都女子大学、京都教育大学、そして奈良産業大学（現在は奈良学園大学）と勤務大学を変えながら最後の奈良産業大学で大学の規定によって七十歳で定年を迎えたが、大学の事情により特例で定年が二年延長された。実際に定年を迎えたのは2012年3月で72歳。さらに三年非常勤講師として奈良産業大学へ出講したが、以後今日に至るまで全くの無職である。

［主著］

『学び住むものとしての人間――「故郷喪失」と「学びのニヒリズム」を超えて』［春風社 2006］

『人間であること』（上田閑照 監修）共編：［燈影舎 2006］

『ヤスパース――人間存在の哲学』［春風社 2011］他

教育哲学──哲学的人間学──陶冶の哲学

私は京都大学「教育学部」に入学したが、この学部はいわゆる「教員養成」のためではなく、教育を学問的に研究することを一つの目的にしていた。私がご指導いただいた下程勇吉先生は西田幾多郎に直接師事され哲学を学ばれた西田の直弟子と言ってよく、後に京都大学の文学部に所属していた教育学の助教授に就任されたが、間もなく現在に続く「新制大学」への転換が日本全体でなされ、その際教育学の講座は文学部から離れて「教育学部」が新設され、それの設立の中心となって尽力された。その教育学部で教育哲学の講座を受け持たれたが、教育人間学としての教育哲学を主張された。下程先生は、20世紀前半に人間の本質全体を問う「哲学的人間学」を提唱したドイツの哲学者マックス・シェーラーの『宇宙における人間の地位』を読み込み、そこに手掛かりの一つが見出された。つまり、これまでの教育の歴史的帰結を「全人教育」に見出し、人間の本質全体を問う人間学を教育学の基礎とするというのである。

私が大学院博士課程に進む時期に指導教官の下程先生の停年退官が決まっており、その後任として上田閑照先生が赴任された。上田先生はまだ三十歳代であったが、すでにドイツで学位を取得されそれがドイツにおいて出版されていた。ただ上田先生は宗教学（宗教哲学）が専攻で、10年間教育人間学を担当された後自分の出身の文学部の宗教学へ移られた。上田先生は哲学的人間学を踏まえつつ、フォイエルバッハのように宗教を人間に還元し宗教の秘密は人間にあるとする立場とは全く異なって、宗教も人間の事柄であるという独自な人間学をその基礎とされていた。大学で上田先生に学んだのは僅か数年に過ぎないが、その後もずっとご指導いただき（と言っても細かいことを言われることはなかった）私にとっては上田先生との出会いは何ものにも代えがたいものだった。

以上略述したことは、しかし大学・大学院で実際に学んではっきりしてきたことであって、高校生・大学受験生の私に分かっていたのは、京都大学の或る学生団体が出していた京都大学を紹介する冊子があり、その中で下程先生が「教育人間学」を提唱されているということぐらいであった。

しかしそれでも下程先生のもとで教育人間学を学んでみたいとも思ったのは次のような私の側の事情からである。

なぜかはわからないけれど、私が新しい知識を獲得しスキルを習得するのはそのこと自体のためでなく、ましてそれで「偉くなる」ためでもなく、他の誰でもないこの私としてしっかりと立つためであるという考えをもつようになっていた。そのためには他から教えられて学ぶことは欠かせないが、基本的には自分の内から開いてゆくしかないのだということは自明のように思われた。私にとっての「教育」の根本はそこにある。だから学校で教師が生徒に「教える」ことはそれとして大切なことではあるけれども、それが教育の根本だとは思えなかった。自らがそのように歩んでゆく（敢えて言えば「陶冶」であろうか）ことを、漠然と考えているのでなくはっきりとさせることが、「教育人間学」を学ぶことの根本動機である。

いざ教育人間学を学び始めてみると、「陶冶」というものを漠然と考えていたことに関して次々と問題が生じてきた。まず「他の誰でもなくこの私自身」ということ自体が、そんなに自明でない。そういう自分があるとしても、それはそれだけで孤立してぽつんとあるのでなく、それがそこにおいてある「場所」と一体であり、その場所は人間にとって「世界」であって、世界は人間が作り出した「文化」の総体、さらには「意味世界」である……という具合に拡がっていかざるを得ない。そして世界・意味世界にその「外」はなく、「無」であるとするなら、世界は見えない仕方で「二重」になっている。世界は無限の開けだとしてもそれには限りがあり、無の限りない開けにおいてある。上田閑照先生の言われる「二重世界」から私が読み取ったのはそんなことであった。私が「陶冶」ということで考えていたことはあくまで世界・意味世界における事柄であるが、世界がそのように「二重」であるとすればそのことを背景として「陶冶」も捉えられなければならないということになるであろう。そうでなければ陶冶は自己中心的な自己への閉じこもりに堕する。

そうした方向で纏められる陶冶の哲学を更に彫琢してゆくことが、私の学問となってきたのである。

大学院時代はいわばその下地を耕すのに似ているとすれば、私の「学問」が本格化するのは大学の教員になってからである。そして大学の教員になることは所属大学から給与を得ることであり、それが普通「職業」と結びついていると考えられる限り、わたしの「職業としての学問」がここから始まると言えよう。しかし、前にもちょっと触れたとおり、それはそんなに簡単なことではなかった。

そのことを私の場合に即してまとめておきたい。歴任した上述の各大学で私に課せられたのは、徐々に自覚されてきた「陶冶の哲学」を哲学的人間学に関わりながら学生に教授したり、演習で共に考えたりすることでなかった。ならば何かといえば、基本的には、それとはいささか異なる教育、特に学校教育に関わる教員免許を取得するのに必要と規定されている学科目の講義や演習、実習である。それらの目的のためにはそれ用の勉強や研究が必要であり、そこに時間を割かなければならなかった。しかしそういったことは私の邪魔にはならなかった。それらは私の言う「陶冶の哲学」と直接的に一つに結びつくことはないにしても、ある意味では私の研究の幅を広げることに役立った。

それは次のようなことである。すなわち誰もが自分を人間へと仕上げてゆく「陶冶」においで生きているが、それは「真空」でなされるのではなく、その都度の具体的な場においてなされる。学校というのもそうした場であり、学校教育を考えることは陶冶をいわば地に足のついた内実あるものにすることとなった。こうした学問的歩みの中で若干の論文も書き、それが「研究業績」ということになるという仕方で大学の定年まで過ごしてきた。少しごたごたしているが、これが私の「職業としての学問」である。

定年後の学び

定年後は私の名前を冠した「論文」はほとんどなくなったが、しかし学びということで言えばそれまでと基本的には変わらない。読書量は落ちたとはいえこれまでと同じように学的な書を読み考え、そして「陶冶の哲学」を少しでもはっきりさせてゆきたいと思い続けている。

例えば「意味世界」を考えるのにエルンスト・カッシーラーの『シンボル形式としての哲学』から学ぶことが多かったが、彼はカッシーラー版と言われるカント全集を編みその付録として『カントの生涯と学説』を著している。この初版が出てからすでに100年を超えるが、最良のカント書としての評価が定着している。特にカッシーラーはカントの『判断力批判』を重視して考察しているが、私は今、これまでかなり粗雑に読んでいたとしか思えないカントの同書をカッシーラーに手引きされながら読んでいる。それでどこへ行くのかはまだはっきりしないが、カッシーラーに学んだ「意味世界」とつなげて「陶冶の哲学」を少しでも前へ進めたいと考えている。

定年後に新しく取り組んだと言えるものがあるとすれば、「仏教」であろうか。それは「仏教徒」になるのとは少し違う。哲学に関わる立場で仏教に対する際の絶対の前提として哲学から宗教を「捏造」しないということがあると思う。（大まかに言えば、仏教を含む宗教は信仰と何らかの意味で「行」であり、哲学は「知」の立場であろう）

この前提の下で、私はそれまでも仏教に無関心だったのでなく、鎌倉時代に従来の旧仏教に対して起こってきた法然と親鸞に代表される浄土教、それに禅宗（これはよく分からないと言うほかないところを大きく残しているが）に何ほどか触れて来た。定年後の新しい仏教への関心ないし関りは、鎌倉新仏教が対峙したともいえる「旧仏教」である。

特に私が生まれ育ち生涯の大半を過ごしてきた奈良に伝えられる仏教、法相宗大本山である興福寺と薬師寺で保持されている「唯識論」を少しばかり学び始めた。私の理解しうる限り「唯識」とは有るのはただ「識（「こころ」）」だけということであり、それとは独立に「実体」として動かし難く有るものはないというのである。いわば識であるわれわれから独立した「実体」的な存在を認めないということになろうか。

実体としての存在を認めないというのは仏教全体に見られ、それは「縁起」と一体的である。このことを唯識は次のように展開する。すなわち有るものはすべて他の有という「因」と「果」の因果関係における有である。しかもその因果の関係はその都度「仮和合」であり、そこに見られる有は「仮有」である。そうだとすれば、「仮有」とは別に「真実の有」とでもいうべきものがあるのかと言えば、それは「実体的に」捉えられたものであって「仮有」がすべてということになろう。このことは「他の誰でもない自己」を確立するという「陶冶」に反省を迫る。

２０１５年８月に胃を三分の二切除するという手術を受け、しばらくの間病院のベッドに横たわっていた時、以前に中国へ旅行した際人々が町のあちこちで太極拳をしているのを見て何か惹かれたのを思い出し、退院したら自分でもやってみたいと思った。

近所に楊名時太極拳の教室が開かれていてそこへ入門しその話をすると、たいていは健康のために太極拳をやるのだろうと言われた。それも全く的外れと言いうのではないが、私としては中国で見て惹かれた太極拳は「もう一つの（オルタナティブな）」身体の動きとでも言うべきものであり、「進歩」が世界を覆う現在においてそれは健康ということ以上の意味をもつと思えたのである。いわば前のめりにどんどん先へというのが「近代」だと言えるとすれば、前へ前へというのに似た「陶冶」も太極拳から顧みられるべきだと思われる。そして太極拳の「もう一つ」の身体の動きは精神が身体を支配するというのに対して「心身一如」を示しているであろう。そこに太極拳が「陶冶」に対しても反省を迫る意味があるように思われる。一向に上達しないが私は太極拳に一層惹かれている。

特にヘーゲルの『精神現象学』の翻訳で知られる哲学者の長谷川宏氏が「一九四〇年生まれの高齢者のわたしには、今年（２０２２年）の夏の暑さはさすがにこたえた。……年を重ねて容赦なく感じられる体力の変化に、心がゆっくりとついていくのはそう易しくはないな、と改めて思う。」（「春風新聞」第３０号）と述べている。長谷川氏は私と同い年のようで、同氏の思いは私にも共通する。私の場合はほとんど毎日のように昼食後30分くらいは「昼寝」してようやく過ごせるという有様である。

二人の息子たちもそれぞれ独立の家庭をもって遠方に住んでおり、私は後期高齢者一歩手前の妻と二人で暮らしているが、彼女は私の老いてゆく背中をすぐ近くで常に見ている。老いの身で学ぶと称して書斎に籠ることの多い私をそれに重ね合わせて内心では苦笑しているのだろうが、そのことをおくびにもださず、腎臓の機能が衰えているという検診の結果が出れば塩分控えめで美味しく食べられる食事を工夫するなどしてくれる。こうした支えがあって、定年退職後の学びなどとある意味では戯言を言いつつ太極拳の稽古にも励んでいる。

[研究者を取り巻く時代とその後の学び]

弘末雅士

1952年生。立教大学名誉教授・公益財団法人東洋文庫研究員。東南アジア史。

東京大学大学院人文科学研究科修士課程修了、オーストラリア国立大学大学院博士課程修了(Ph.D)の後、東洋文庫、天理大学、立教大学での職歴を経て、現在に至る。

[主著]

『東南アジアの建国神話(世界史リブレット)』[山川出版社 2003]
『東南アジアの港市世界——地域社会の形成と世界秩序』[岩波書店 2004]
『越境者の世界史——奴隷・移住者・混血者』編集:[春風社 2013]
『人喰いの社会史——カンニバリズムの語りと異文化共存』[山川出版社 2014]
『海と陸の織りなす世界史——港市と内陸社会』編集:[春風社 2018]
『海の東南アジア史——港市・女性・外来者』[ちくま新書 2022]
『岩波講座世界歴史12 東アジアと東南アジアの近世 一五〜一八世紀』共編[岩波書店 2022]他

研究テーマと時代の動向

私はいわゆる昭和の仕事人間である。令和になってもそれは変わらない。筆者は、2018年（平成三十年）3月に立教大学を退職し、現在は公益財団法人東洋文庫の研究員として、東南アジア史研究に携わっている。他方で、年とともに研究と社会との関係を、一層考えさせられるようになった。

研究者の関心は、時代のなかで育まれる。また半世紀にわたり研究を続けてくると、社会の変化とともに重視されるテーマも変わる。職業としての学問に携わる研究者・教育者は、それにどう対応するのか、重要な課題となる。

筆者が東南アジア史研究を志したきっかけは、ベトナム戦争（1965～1975）であった。この戦争は、アメリカの介入に抵抗した南北統一を目指すベトナム人の営みとして、世界的に注目を浴びた。当時少年・青春期にあった筆者は、東南アジアに関心が向いた。大学の卒業論文には、この地域で最大人口を抱えるインドネシアの反植民地主義運動をテーマに選んだ。卒論から修士論文さらに博士論文に至るまで、すべて植民地支配への抵抗運動をテーマとした。まわりの研究者も、アジアの反植民地運動や民族主義運動、国民国家建設に熱い視線を注いでいた。

博論を提出した１９８８年（昭和六三年）、筆者は研究職につくことができた。最初の就職先は、現在も属している東洋文庫であった。そこで二年間研究員（ユネスコ東アジア文化研究センター調査外事室長）を務めた後、１９９０年（平成二年）に天理大学外国語学部（のちに国際文化学部に改組）に移り、さらに１９９９年（平成十一年）から２０１８年に退職するまで立教大学文学部で教鞭をとった。

他方で、１９８０年代からグローバル化が顕著に進展し始めた。また国民統合の負の側面も広く意識されだした。東南アジアでは、政治活動や言論・出版の自由を制限する開発独裁が諸地域で展開した。また南北統一を成し遂げたベトナムは、カンボジアと国境紛争を起こし１９７８年末から同地に侵攻し、１９８９年までそこを占領した。同様にオランダとの独立戦争を経て新生国家を確立したインドネシアも、社会主義勢力の拡大を警戒して、１９７５年に隣国東ティモールに侵攻し１９９９年までその地を占領した。国民国家が持つ侵略的側面を見せつけられた。

こうしたなかで、歴史研究にも変化が生じた。国境にとらわれない交流史が注目されるようになった。東南アジアは、多様な諸地域と交流しながら、独自の文化社会を構築してきた。東西世界を結びつけた海域ネットワークや交易活動が、議論されだした。地域社会が周辺世界との関係のなかで形成されることに、改めて気づかされた。

時代の推移とともにパラダイムが変化し、それまでの研究とこれからの作業をどう関係させるかが問題となる。それは教育者として、学生諸君に歴史研究の意義を語る作業とも緊密に連関した。

グローバル化と東南アジア史研究

ヒト・モノ・カネが国境を越えて動く現代社会は、グローバルな視点を持つことの重要さを考えさせる。生活の場と世界全体は、どう関係するのだろう。東南アジアの近世史は、そのための貴重な材料を授けてくれた。

近世東南アジアには、西アジアや南アジアさらに東アジアから多数の商人が来航した。さらに16世紀以降、ヨーロッパ人や日本人もこれに加わった。東南アジアの港市は、多様な出身地の人々が居住するコスモポリスとなった。港市支配者は、東西世界とのネットワークの構築に努め、港市の社会統合をはかるためイスラームや上座部仏教を受容した。

また支配者は中国との関係も重視し、その冊封体制に与した。

他方で、港市は外界への窓口になることで、地域の結節点となり、地域社会を形成した。ただし、港市に産品を運ぶ内陸民は、未知の病気をもたらし、人々を捕らえて売り捌くかもしれない外来者との接触を避けようとした。彼らはそれを、港市関係者に委ねた。こうして港市支配者は、内陸民と外来者を仲介することで権力を形成した。外来者と港市支配者は、上述したイスラームや仏教さらに中華秩序などを介して結ばれていたが、内陸民と港市支配者は、自然や生産力と結びついた地域の信仰をもとに、君臣関係を形成した。つまり港市を媒介として、広域世界と地元の原理に基づく地域社会の二つが成立したのである（拙著『東南アジアの港市世界――地域社会の形成と世界秩序』岩波書店、２００４年）。

このことは、一つの地球が意識されるとともに、世界が多様な社会からなっている現在とも通ずるものがある。この両者を媒介する存在は、異なるネットワーク作りに重要な役割を担う。コミュニケーション手段が多様に発達した現代社会では、諸個人がそうした仲介役になりうる。天理大学と立教大学をはじめ、兼任講師として様々な大学の教壇に立った機会をとおして、受講生に人と交流することの重要性、さらに誰でも新たなネットワークを形成する媒介役になりうることを説いた。これを説きたいことは、現在でも変わらない。

出発点のテーマへ

50代半ばになり、私は女性史に惹かれだした。いろいろな理由があるが、一番のそれは、母との死別が遠くないことが意識されたからだろう。あとから考えるとそれはまた、自分が研究の出発点を見直すための道あかりだったように思える。他の研究者の方々も、似たような体験をお持ちであろう。

前近代の東南アジアには、現地人女性と滞在する外来者とが一時的に結婚する慣行が、広く存在した。来訪者は19世紀終わりまで、ほとんどが単身者であった。現地人女性は、外来者の家事を担うとともに、現地の慣習や言語を教え、外来者の持ち込んだ商品を地元で交易する手助けをした。東南アジアの女性は、地元の市場で商業活動を主導していた。内と外を仲介する港市支配者の役割を日常的に担ったのが、外来者と家族形成したこうした現地人女性であった。

彼らの子孫も、外来者の出身地と現地社会を仲介する役割を担った。ヨーロッパの東南アジアにおける植民地活動も、現地人女性や彼女らとヨーロッパ人の間に誕生したユーラシアン（フィリピンでは「スペイン系メスティーソ」と呼ばれる）に支えられて、展開した。ヨーロッパ勢力と比較的長期にわたり交流したフィリピンやインドネシアでは、現地人有力者と植民地支配者がこうした存在に支えられ、19世紀中葉まで比較的安定的な関係を形成した。

しかし、19世紀後半になると状況は変容した。フィリピンでは植民地体制を支えてきたキリスト教会の活動において、スペイン人修道士が不在の教区で活動していた現地人在俗司祭の職を、19世紀中葉以降修道士の手に戻す政策が強く推進された。在俗司祭には、スペイン系メスティーソが少なくなかった。またオランダ領東インド（インドネシア）では、19世紀後半になりヨーロッパ本国から多数の新参者が来航し、ユーラシアンの職を奪い始めた。ユーラシアンや彼らを生んだ現地人女性は、社会で周縁化した。

こうした植民地政策に反発したユーラシアンの間から、原住民や華人系住民も含む「フィリピン人」あるいは「東インド人」の意識が形成されだした。彼らはヨーロッパの啓蒙思想や東インドでは神智学を援用し、人間は元来同じ種であり、ユーラシアンであろうがアジア人であろうが、人種的に劣らないことを主張した。彼らは、人種差別を持ち込む植民地体制を批判し、新たな国民づくりを唱え始めた。民族主義運動の原点であった。

また植民地支配の強化により、現地人有力者の影響力は後退した。港市は植民地体制下におかれ、港市と内陸民との関係も大きく変容した。植民地権力は、内陸部を輸出用第一次産品の生産地として開発し、必要な場合は食糧も外部から持ち込んだ。筆者が1970～80年代に手がけたテーマは、こうした状況下で起こった内陸民の反植民地運動であった。運動に参加した人々は、外部勢力に対抗できる新たな権威を構築し、また植民地支配者と異なるヨーロッパ人の到来を待望した。新たな仲介役や植民地支配への対抗原理を、彼らなりに求めていたのである。

約40年の歳月を通して、自らの研究の出発点を改めて見つめ直すことができた。もう大学を去る頃であったが、その後の人生に弾みをもたらしてくれる回り道であった。

退職後の学びと歴史家の義務

21世紀を生きる私たちにとって、これから先はどんな世の中になるか、誰もが気になる。歴史研究に携わってきた研究者には、それを語る資格というよりもむしろ義務があろう。

国民統合の行き詰まりが意識されつつも、国民国家に代わる枠組はまだ見えてこない。それどころか、その枠組にすがろうとする動きさえ台頭している。他方で、国民的同一性を標榜する国民国家がしばしば侵略の牙を剥くことは、上述のベトナムやインドネシアの事例をはじめ、今日のロシアのウクライナ侵攻からもうかがえる。国民国家はこれからどうなるのだろうか。

近世から近代への移行期を検討してきた筆者は、そこで新たな人間集団観やジェンダー観が形成されたことを見てきた（拙著『海の東南アジア史――港市・女性・外来者』ちくま新書、２０２２年など）。人と人との接触や新たな思想との出会いが、そうした観念を生むきっかけになった。民族意識を形成したナショナリストは、ヨーロッパの植民地宗主国の政治思想と東南アジアの価値体系を橋渡しする役割を担った。こうした現地人有識者は、上述の啓蒙思想家や神智学者さらには社会主義者との接触により、植民地秩序に対抗しうる原理を構築した。また年配世代と若い世代との出会いが、新たな運動を起こすこともあった。

流動的な状況下では、こうした交流によりこれからも新たな活動が起こるであろう。今日媒体手段は多様になり、さまざまな意見交換が可能になっている。ふとした接触から、ジェンダーや宗教を含め人間を取り巻く新たな観念が生まれうる。そうした活動が、媒体に支えられて拡大していくと、既存の枠組は変容し始めよう。

どういう方向に進んでいくのか、さまざまな可能性があろうが、そこでも人と人とを結びつける仲介者は重要な役割を担うだろう。これからの歴史を考えることの面白さを伝えるのも、歴史研究者の重要な使命である。

こうした諸課題と向き合う一方で、家族をはじめ周囲と自分の研究活動を見つめ直す時間が、退職後増えた。家族との関係では、誰もが避けられないこととして、両親との死別がある。親に支えられて、研究者としての人生をスタートすることができ、亡くなってもなお励まされている感がある。多くの方々も同様であろう。

筆者が扱ってきた北スマトラの内陸部の人々の間には、彼らの祖霊が山に存在し、農耕に欠かせない雨をもたらしてくれるという信仰がある。東南アジアの他地域でも広く信奉されている観念であるが、これまでそうした信仰についてあまり関心を払わなかった。親との死別後、はじめてそこまで死者を浄化させた時間と観念作用に注目させられた。

また配偶者との生活は、世界が補完し合う異なる二つの原理よりなることを、改めて考えさせられる。創造と破壊、生と死も、そうした二つの原理の相互作用がもたらすものと観念されよう。ただし、こうした二元論的思考は、時間の流れが直線的であると了解している近代の歴史家の意向と、確執を生む場合がある。今日の歴史研究者の多くが、いわれのない苦難が少しでもなくなる世の中を目指して、研究を行なっている。だが、現実の世界は、不条理を感じさせる事象がたびたび繰り返される。かつて日本をはじめ世界の諸地域で、歴史は反復されるとする循環的史観が支配的だった。辛い出来事を相対化するための一つの有効な観念であろう。

歴史は繰り返すのか、それとも時間は不可逆的に流れているのか、現に生きているわれわれは、いずれにせよ、両者をそれなりに関係づけて暮らしていることに気づかされる。歴史家は、その営みのための参考材料を提供するに過ぎない。また、これから迎える死も、人間が長い時間をかけて築いてきた観念である。死を体験できない私たちは、「あの世」を想定して生を了解する。他界観は、歴史家にとっても重要な検討対象となる。研究も人生も奥が深い。時に腹も立つが、興味は尽きない。年をとることを噛みしめながら、これからも頑張りたいと思う。

［大自然の中で「元気」を研究する］

川村協平

1951年 岩手県出身。
盛岡一高卒業。
東京教育大学体育学部卒業。
東京学芸大学大学院修了。
アメリカ オレゴン大学客員教授（1988~89）。
2016年3月 山梨大学大学院教育学研究科教授として職を終えた（38年間勤務）。
現在名誉教授。
NPO法人 やまなし幼児野外教育研究会理事長。

［主著］

『幼児キャンプ——森の体験』共著：［春風社 2001］
『幼児キャンプ——雪の体験』共著：［春風社 2004］

退職時の所属先

大学時代、野外運動学の講座に所属し、自然とつき合うことの魅力に取りつかれた。キャンプやスキーなどを通して自然と関わる重要性を考えるに到った。後述する小山内先生を中心とした健康システム研究会に所属して以来「自然の暮らしと健康」について深く学んでみたいという気持ちが強くなり、研究テーマが生まれた。

38年間の山梨大学勤務を支えたのは私に強烈なインパクトを与えてくれた多くの恩師、仲間であった。その中の3人を挙げてみる。

〈3人の大切な恩師〉

私は自然の中で暮らすことの大切さを大事にする「野外教育」を専門としてきた。20代初めに出会った3人の恩師との出会いに感謝したい。

（1）まず、当時富士山やエベレストを直滑降し世界中を沸かせた冒険家、プロスキーヤーの三浦雄一郎さん。三浦さんのチームからの誘いで、アウトドアで子どもたちを指導する

写真提供：ミウラ・ドルフィンズ

三浦雄一郎氏

人材（野外教育）を求めていたところに応じる形でミウラドルフィンズの仲間に加わった。以来、10数年にわたり三浦さんが企画指導する子どものアウトドア指導に何度も同行した。アラスカやグアム、サイパン、北海道、妙高などでのアドベンチャーキャンプ、スキーの企画の指導に関わって、三浦敬三先生（雄一郎氏の父）とも親交を深めた。三浦雄一郎氏からは冒険（チャレンジ）する魅力を学んだ。

（2）次に大学時代の恩師飯田稔教授。私は東京教育大学の学生時代（1970年代）に、飯田先生がペンシルベニア州立大学の博士論文のテーマとして始めた日本初の幼児キャンプにキャンプカウンセラーとして指導をした。その時の衝撃の体験が、私が幼児キャンプを手がける原動力になっ

飯田稔教授

当時の幼児キャンプ

た。「幼児はすごい！」というのがいちばんの印象である。幼児は小さく、泣き虫で、ほとんど何もできないという考えだったのが、キャンプで4泊5日ともに暮らしてみると、幼児はすごい、いろんなことができる、かっこいいという考えに変わった。「幼児はできないのではなく、やったことがないだけである」という結論に至り、いつか自分も幼児キャンプを手掛けてみたいという気持ちが湧き、1980年に山梨大学に赴任してすぐに始めて44年目になる。

（3）「我々は自然の生き物で元々は狩猟採集民なんだよ」。「腹を空かして暮らすことが元気に暮らすためには重要だよ」という口癖の予防医学専門の医者小山内博先生（東大医学部卒）の

研究仲間と小山内先生（右下）

チームに入らなかったら、アフリカの森の調査など思いつかなかったであろう。小山内先生は「元気に暮らすためには」というテーマで現代人の暮らしと健康についてたくさんの研究を手掛けた。マウスを使った運動とがんの研究、労働者の健康づくり、運動によって血圧を下げたという500人を超えるデータを使った研究発表、指先で血液循環の良否を判定する加速度脈波計の開発、普及などなど。当時20代~30代の若い研究者8人の研究チームで手がけた数々の研究成果は、極めて画期的なものだったと思う。私も開発に関わった加速度脈波計をアフリカに運んでカメルーンの狩猟採集民ピグミーの血圧と血液循環についての調査、測定を実施した。自然と深く関わって暮らす人々は血液循環が良く、元気であるという確信を得て、日本の子ども達に還元してきた。

2　現在の日常　研究テーマ

退職して6年穏やかな暮らしを送ることを目指していたが、これまで実施してきた子どもたちのアウトドア体験を提供する仕事を終えることができず、２０１９年、これまでの任意団体を法人化してＮＰＯ法人山梨幼児野外教育研究会を設立して継続している。事務所は山梨県北杜市の古民家を起点として年間30～40のアウトドア体験プログラムを提供し、山梨県内外の大学生、これまで参加して育った中高生も交えて指導に当たっている。

勤務していた山梨大学時代、私は文部科学省の科学研究費（国際学術調査研究）を使ってアフリカカメルーン（ピグミー）、アラスカ（エスキモー）の狩猟採集民の村で調査研究を行ってきた。衣食住を自然界に深く依存しながら暮らし続けている人々が世界で最も元気だろうという仮説のもと、所属する研究チームが開発した加速度脈波計（指先から得られる波形から血液循環の良否を判定）を用いて20年以上にわたり毎年１～２ヶ月、京都大、東京大、北海道大の人類学の仲間と一緒に調査を行った。

ここでは研究成果ではなく、大自然の中で出会った出来事を紹介したい。特にカメルーンでは何度か命を落としかねない場面に遭遇した。その調査研究で出かけていた時の様子を書き記した文を紹介する。

何が起こっても不思議ではないアフリカの森――森が揺れる

１９９９年２月、私はアフリカの森に調査に出かけた。９回目になるが、何度訪れてもアフリカの森は深いと感じた。アフリカカメルーンの南東部、首都ヤウンデから１０００キロメートル。４日間かけて、やっとたどり着く熱帯多雨林の中に、静かに暮らす狩猟採集民の人々、ＢＡＫＡピグミーの村が私たちの調査地である。アフリカでは何が起こっても不思議ではないと、いろいろな研究者から聞いていた。当時の文章を紹介する。

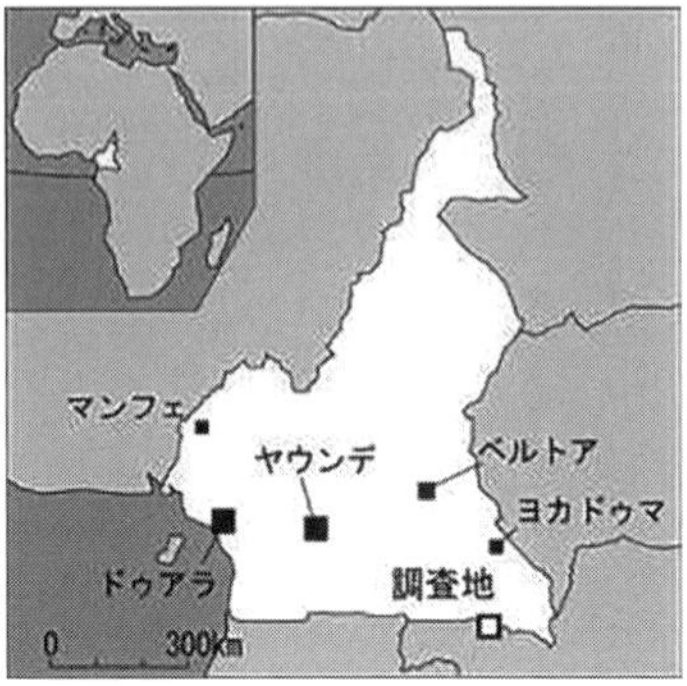

１９９６年、今から20数年前のこと。浜松医科大

学の佐藤弘明教授（私にピグミー研究のチャンスをくれた研究者）と、ＢＡＫＡピグミー（カメルーン南東部に暮らすピグミーの一民族グループ）の男性５～６人と、森の調査に同行したときのことだった。彼らが普段暮らす場所も森の中なのだが、そこから更に半日くらい歩いた奥深い森の中に、ハンティングのキャンプに出かけた。森の中を流れる小川のほとりで１泊して、これから帰ろうかというとき、ＢＡＫＡたちが慌てだした。彼らは危ないから早く帰ろうと言ったのだ。私は、その意味がしばらく分からなかったが、空を見てすぐに分かった。西の空に大きな黒い雲が見えて、それがこちらに急に近づいてきていたのだ。その瞬間、雨がまだ降ってもいな

ピグミーの調査（加速度脈波測定）

いのに、森が大きく、激しく揺れた。森が揺れるなんて、見たことも、聞いたことも、考えたこともなかった。我々は、大きな樹の下に身を隠した。木々が強い風で左右に4～5回大きく揺れたかと思ったら、次の瞬間、すごいことが起こった。大きな木が、バタバタと落ちてきたのだ。その木は熱帯雨林の50mもある巨木の上方に引っかかっていた木だ。我々の周りに落ちてきたその木は、太さや数が半端ではない。人に当たれば簡単に命が奪われるほどの木だ。BAKAたちが恐れていたのはこのことだったと、初めて気がついた。実際に森で落ちてきた木で命を落とすBAKAが結構いることも知った。熱帯雨林の深い森は、たくさんの動物が棲息しているのはもちろんだが、その森は人間の生活によって作られる大量の二酸化炭素を吸収し、同時に地球上にたくさんの酸素を排出している。その酸素は我々動物の生きるためのエネルギーとして使われている。何が起こっても不思議ではないアフリカの森。私たちは、その森の恩恵を受けて暮らしていることを忘れてはならないと深く感じた。同時に、ピグミーたちは、自然の中で自らの命を守る「危機管理」を、暮らしの中で学んでいるのだと改めて知った。（1996年9月の体験より）

エンジンが止まった船

1994年から20年ちかくアフリカカメルーンの南部、狩猟採集民ピグミーの村に調査に訪れた。毎年様々な出来事に出会うが、命を落としかけた場面が何度もあった。首都ヤウンデから4日間かけてカメルーンの調査地へ向かうその最終日は、ボートをチャーターしてコンゴ川の支流をほぼ1日かけてピグミーたちが暮らす上流に上っていくことになっていた。

動きだして1～2時間経った頃、ボートのエンジンが急に停止した。7～8人乗船して

チャーター船（カメルーン南部）

いたが、船は下流に少しずつ流れていった。川幅は100m~200mぐらいありそうな広さで、流されていく船はそれほどスピードを感じなかったが、流され続けると下流には滝があることがわかっていた。そこまで流されたら命はないと覚悟を決めた。何しろ川にはたくさんのワニが生息しており、転覆した場合ワニに襲われると聞いていた。しばらくして船頭は船を少しずつ岸に動かしていった。岸に迫り出した木の枝があり、みんなでその枝を掴んで流されていた船を止めて待った。1時間ほどしただろうか、やっとエンジンがかかったようだった。恐る恐る船を動かして上流に向かい、なんとかやっと目的地にたどり着いた。あのままエンジンが止まって再び流されていたら船の乗客員は全滅しただろうと思うと、アフリカの地での命拾いがまた一つ生まれた。

エスキモーのハンティングキャンプ

児童文学作家「灰谷健次郎」さんの著作の中に、「スピードを求めると失うものが多くなる」という件がある。今はスピード時代だ。毎日のように新しい機種が開発・発売され、それに追いつけないと時代に取り残されたように感じてしまう。新しいものをわれ先に手にいれる。早いものが勝ち、遅いものは負け、そんな世の中だ。携帯やパソコンで瞬時にその情報が伝わってしまう。メールを送ると、もう、自分の気持ちが届いたと勘違いしてしまい、トラブルになる。私たち人間は、「自然の一員」として、長い間ゆったりとした時間の中で生きてきた。川や山を遊び場としてこよなく愛した。今、子どもたちを取り巻く社会（世界）があまりにも自然からかけ離れ、速く、物が多く、便利になってしまい、何が大切なのか見えにくくなり、心や体を混乱させている。

私は、２００３年８月末に、アメリカ・アラスカ州の北極圏、ブルックス山脈の真ん中

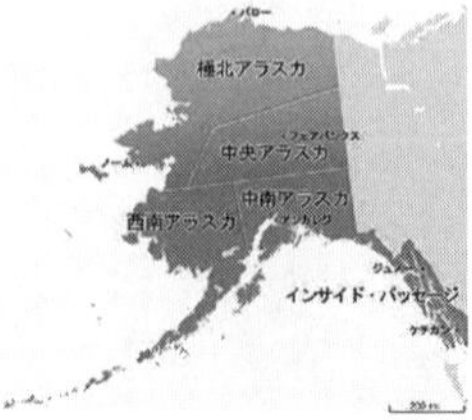

アラスカエスキモーの村

に位置する、エスキモー300人ぐらいが暮らす村にいた。ここは、北極圏国立公園の中にあり、山々の美しさには目を見張る。この村に来たのは6度目。お世話になるのは74歳のエスキモーRaimond。彼は、根っからのハンターだ。8輪車（アルゴ）に荷物をつめ、3日間のカリブー（野生のトナカイ）ハンティングキャンプに同行した。キャンプ地まで4～5時間。ツンドラの平原にテントを立て、薪を集め、火を焚きながらRaimondと仲間4～5人で2日間カリブーを待った。心が洗われる時間だ。恐ろしいグリズリーベアを近づけないよう、焚き火で暖をとりながら、時折、双

眼鏡でカリブーが遠くの山から現れるのを待つ。いつ来るかも分からないのに、じっと待っていて、焦ることも、イライラしたりすることもない。60年以上前に村を作った彼のお父さんの話や、幼い頃の村、ハンティングの思い出話を聴く。心が和む。うれしい。温かい気持ちになる。なんと贅沢な幸せな時間だろうか。

突然近くの川の向かい側に20頭ぐらいのカリブーが現れた。Raimond の息子 Mikel は素早く銃を用意しカリブーが川を渡り近づいてくるのを待った。先頭のカリブーが勢いよく走り出し川を渡ったところで銃を1発撃った。

その音でカリブーの群れが分散した。もう一度撃った。もう彼らは遠くまで走っていった。しばらくしたら1頭が倒れ、もう少ししたら別の場所でもう1頭が倒れた。結局5頭を見事に仕留めたのだ。見事なハンティングスキルだ。その後 Raimond はカリブーの首を落とし解体した。肉を外のロープに吊るして、グリズリーベアが近づかないように1晩中火を焚いていたが、結局全員がテントで寝てしまった。朝起きたらいつの間にか肉がかなり食べられていた。グリズリーベアが来たのだった。近くに大きなふんを残して立ち去っていた。丘の向こう側にグリズリーがゆっくり歩いているのが見えた。食うか食われるかの世界を見せつけられた瞬間だった。調査地には私の二男（当時信州大4年）が同行

エスキモーとのハンティングキャンプ

しカリブーの解体に立ち会った。別の年（冬）の調査には二女（当時オレゴン大学生）に通訳として同行してもらったがハンティングはなかった。今はRaimondファミリーはどうしているだろうか。彼は生存しているだろうか。また会いに行きたいと思っている。

大学勤務の頃は通常の授業、研究活動の傍ら子どもたちの体験キャンプを企画し、学生たちと運営、指導をしてきたが、その時（２００９年時）の年間活動のプログラム実施と、退職して６年経った２０２２年度の内容を比較して表にしてみた。２００９年は１３８泊、

ドラキュラの1年

川村協平（ドラキュラ）

ドラキュラ（私のキャンプネーム） は１年間に何回ぐらいキャンプをするんですか？　よくきかれる質問です。いつも即座に答えられないので２００９年度作成分と退職して６年目の2022年度のものを比べてみました。キャンプに関連した学会発表、講演も入れてみました。以下がその内容です。２０２２年度には開催回数を記載。

２００９年度

2006年4月	志賀高原にスキー	志賀高原	１泊２日
	キャンプ下見	富士五湖方面	１泊２日
５月	アイアンマンキャンプ	本栖湖	２泊3日
	薪割りキャンプ	白州	１泊２日
	アウトドアゲーム＆ワンナイトソロ	甲府健康の森	１泊２日
	日本キャンプ会議発表	**東京**	**１泊２日**
	山中湖Walk&Run	山中湖周辺	１泊２日
	共立高等看護学院キャンプ実習	丹波山村	２泊３日
６月	ワンナイトソロキャンプ	甲府健康の森	１泊２日
	生理人類学会発表（アフリカピグミー	**北海道大**	**３泊４日**
	マウンテンバイク＆キャンプ	白州	１泊２日
	ラフティング＆キャンプ	埼玉県長瀞	１泊２日
７月	沢歩きキャンプ	丹波山村	１泊２日
	日本野外教育学会発表	**北海道教育大**	**３泊４日**
	山梨大学キャンプ集中講義	八ヶ岳周辺	３泊４日
	講演「子どもの自然体験の重要性」	**国士舘大学**	**１日**
	宿題を早く終わらせるキャンプ	白州	４泊５日
	長崎五島福江島キャンプ	長崎五島列島	５泊６日
８月	幼児ＯＢキャンプ	本栖湖	４泊５日
	幼児キャンプ	本栖湖	３泊４日
	アメリカ西海岸国立公園を巡るキャンプ	**アメリカ**	１５泊１６日
	（ワシントン　オレゴン州　カリフォル	）	
９月	古い家でキャンプ	白州	１泊２日
	八ヶ岳登山キャンプ	八ヶ岳周辺	２泊３日
	アフリカカメルーンでピグミー調査研究	**カメルーン**	２１泊２２日
１０月	**アジアキャンプ会議発表**	**台湾師範大学**	３泊4日
	講演　長野県　「幼教育講座」	**長野松本**	**１泊２日**
	ラフティング＆キャンプ	埼玉長瀞	１泊２日
	狩猟採集民の食に関する研究発表	**京都大学**	**１泊２日**
１１月	**講演　なぜ野外教育か**	**南アルプス市**	**１日**
	キャンプ＆スポーツに関する講演	**岩手盛岡**	**１泊２日**
	キャンプの講習会	**宮城県花山**	**１泊２日**
	子どもの自然体験について講演	**都留市**	**１日**
	沢歩き＆キャンプ	丹波山村	１泊２日
	マウンテンバイク＆キャンプ	白州	１泊２日
	オータムキャンプ	鳳凰三山周辺	２泊３日
１２月	山中湖Walk&Run	山中湖周辺	１泊２日
	ダイヤモンド富士を見るキャンプ	本栖湖周辺	１泊２日
	中国天津市日中論壇会講演、発表	**中国天津市**	５泊6日
	共立高等看護学院スキー実習	志賀高原	２泊３日
	親子スキー	志賀高原	３泊４日
2007年1月	スキー三昧	志賀高原	１泊2日
	山梨大学スキー集中講義	志賀高原	３泊4日
	アフリカ研究会発表	**浜松医科大学**	**１泊２日**
	歩けあるけ２０km	西湖、河口湖	１泊２日
２月	キャンプインストラクター講習会	甲府愛宕山	１泊２日
	ネイチャースキー	志賀高原、草津	１泊２日
	アラスカ犬ぞりキャンプ	**アラスカ州**	８泊９日
３月	雪上キャンプ	岐阜県飛騨	３泊４日
	ドイツの教育大学ハイン教授を迎えス	**志賀高原**	**２泊3日**
	フィジー無人島キャンプ	**フィジー**	５泊6日
	幼児雪の教室	志賀高原	３泊４日
	幼児ＯＢ雪の教室	志賀高原	４泊５日
			１３８泊

２０２２年度

2022年4月	第17回ホルツハウゼン（薪割り）キャンプ	白州	１泊２日
５月	第1回日本海へ向かうキャンプ	長野　新潟	２泊３日
	キャンプ下見（４２km歩くキャンプ）	富士五湖	１泊２日
	第3回たき火キャンプ	白州	１泊２日
	富士五湖全部回る４２km歩くキャンプ	富士五湖	１泊２日
	共立高等看護学院キャンプ実習	千代田湖	２泊３日
６月	第3回シニアキャンプ	白州	１泊２日
	第2回そば打ち体験、日向山ハイクキャン	白州	１泊２日
	第3回志賀ー草津ハイキング	長野　群馬	１泊２日
	丹波山園児アウトドア体験指導	**丹波山**	**１日**
７月	第8回川遊び魚釣キャンプ	白州	１泊２日
	第21回ラフティング＆キャンプ	長瀞	１泊２日
	第17回宿題を早く終わらせるキャンプ	白州	３泊４日
７月－８月	第35回長崎五島列島キャンプ	長崎五島列島	５泊６日
８月	第41回幼児ＯＢキャンプ	八ヶ岳	４泊５日
	第43回幼児キャンプ	八ヶ岳	３泊４日
	第19回アメリカオレゴンを巡るキャンプ	**オレゴン州**	**９泊１０日**
	第3回キャンプで百名山	長野　新潟	１泊２日
９月	**第1回アラスカ１人旅キャンプ**	**アラスカ州**	**８泊9日**
	共立高等看護学院キャンプ実習	八ヶ岳	２泊3日
１０月	第6回子どもが決めるキャンプ	白州	２泊3日
	第4回学生主催ピザキャンプ	東京	１泊２日
	第1回温泉巡りキャンプ	草津ー志賀	１泊２日
１１月	第24回バックパッキングキャンプ	白州	２泊3日
	丹波山村全保育園児自然体験指導	**丹波山村**	**１日**
	第12回山中湖一周 Walk ＆ Runキャンプ	山中湖	１泊２日
	「子どもが幸せになる力」講演	**都留市**	**１日**
	沢歩きキャンプ	丹波山村	１泊２日
	オータムキャンププレキャンプ	白州	１泊２日
	第22回オータムキャンプ	鳳凰三山周辺	２泊３日
１２月	人気のダイヤモンド富士を見るキャンプ	本栖湖周辺	１泊２日
	第３回親子でたき火キャンプ	白州周辺	１泊２日
	共立高等看護学院スキー実習	志賀高原	２泊３日
	第34回親子スキー	志賀高原	３泊４日
２０２３１月	第4回自由なスキー	志賀高原	２泊３日
	第1回どこでも滑るスキー	志賀高原	２泊３日
２月	第19回志賀草津ツアーキャンプ	長野　群馬	１泊２日
	第20回アラスカオーロラ犬ぞり体験キ	**アラスカ州**	**９泊１０日**
	木育に関する講演	**甲府**	**１日**
３月	第２回ボブとやっくる の雪上キャンプ	志賀高原	１泊２日
	第16回森の中ネイチャースキー	草津ー志賀	１泊２日
	第43回幼児雪の教室	志賀高原	３泊４日
	第41回幼児ＯＢ雪の教室	志賀高原	４泊５日
	第36回スタッフ養成アドバンス雪の教室	志賀高原	５泊６日
			９８泊

（濃い網掛け）国際交流、講演、学会発表

（薄い網掛け）外国でのキャンプ、発表等

調べてみたらたくさんあって自分でもびっくりしました。退職してもNPO法人として継続しているので少し減っただけです。外国でのキャンプ関連の回数は減りました。学会、講演も減りました。でも野外教育（キャンプなど）はとても大事な仕事だと思っているのでやれる範囲で続けようと思っています。

２００９年（現役時代）、２０２２年（退職６年後）の活動を比較した表

2022年は98泊キャンプ関連の仕事で出かけていることになる。両年体験プログラムの数や日数はあまり変わらないが、国内外での学会発表や関連の講演、海外でのキャンプなどは減っている。現役時代はこの表に現れない通常の授業（5～7コマ）、年間数十回の講演、出張などがあり、かなりタイトな日程をこなしていたことになる。当時は研究室にいた大学院生、学生たちが相当量の負担を抱えて活動を継続してくれたからできた。

3　心境、健康　人生の締めくくりをどうするか

日本の子どもたちが元気に、幸せになってほしいと願い、これまでの研究を伝えてきた。自然の中で暮らす人々はモノは少なく不便のようだが、最も豊かな暮らしをしているように思える。アフリカのピグミー、アラスカのエスキモーとの付き合いは私の財産となっていて、彼らの生き方が現代に暮らす人々の参考になればと考えている。勝ち負けに価値を置かない、競争の少ない狩猟採集社会は平和で幸せな社会と言えるかもしれない。

現在、幸いにもなんとかやりたいことを続けて暮らすことができているが、人生の終末は刻々と近づいている。

4　家族のこと

今は妻と2人、山梨県韮崎市の自宅で暮らしている。

我が家には4人の子どもと11人の孫がいる。子どもたちは、私がアメリカのオレゴン大学に研究員として勤務していた時にたくさん旅をしたアメリカの魅力に取り憑かれ、帰国後、チャンスがきたらアメリカで暮らしたいと密かに思っていたようだ。韮崎高校を出ると同時に長女は看護師を目指しシアトルへ、次女はオレゴン大学へと旅立ってそのまま外国暮らしとなった。

長女家族3人（ハワイ在住看護師）、二女家族4人（ベルギー在住ヨガインストラクター）、長男家族6人（長野在住消防士）、二男家族6人（台湾在住日本人学校教師）、それぞれが親子で元気に暮らしている。そのことが最

オレゴン大学勤務時代（1988）

も嬉しいことである
唯一身近にいる長男家族と一緒に酒を飲む時間が待ち遠しい。

［職業としての学問　その後の学問］

山下直治

1943年、埼玉県に生まれる。

1966年、埼玉大学教育学部（数学専攻）卒業。

1974年、東京教育大学大学院教育学研究科修士課程（教育心理学専攻）修了。

1976年、東京教育大学大学院教育学研究科博士課程（教育心理学専攻）中途退学し、宮城教育大学に就職。

2008年、定年退職。同年、宮城教育大学名誉教授となる。

2009年、北陸大学教授（担当科目：教育心理学、発達論、道徳教育論）、2013年満期退職。

2016年、学校法人ワタナベ学園（参与）、越谷保育専門学校専任教員（担当科目：発達心理学、教育心理学）（満期退職後　非常勤講師）。

2020年、教育学博士（東北大学）となる。

［主著］

『図でわかる学習と発達の心理学』　共著：［福村出版　2000］
『認知活動における固定性の発生・転換に関する「構え」研究』
［風間書房　2021］

はじめに

私の研究内容（テーマの開始年齢）

（1）知覚発達研究（30歳代前半から）

（2）思考（課題解決）過程の研究（30歳代前半から）

（3）ウズナーゼ学派の「構え理論」研究（30歳代前半から）

（4）パーソナリティの硬さ（Rigidity）研究（30歳代後半から）

（5）経年変化による硬さ（Rigidity）研究（30歳代後半から）

（6）構えの形成と転換過程の研究（40歳代前半から）

（7）認知活動及び教育活動における自律的動機づけ研究（40歳代後半から）

（8）認知活動における自動的処理・統制的処理過程の研究（50歳代前半から）

（9）「執着」について――錯覚からの脱出（臨床心理への展望）研究（60歳代から）

（定年退職後の研究）

（10）認知課題の解決過程における「固執性」の分析研究（70歳代前半から）
（11）認知活動における固定性の発生・転換に関する「構え」研究（70歳代なかば）
学位博士論文（Ph, D 教育学：東北大学）

職業としての「学問」研究の経緯

（1）職業「大学教員」――教員養成大学の教職科目担当

学部卒業後、県立高校教諭（数学担当）となり、3年後に「プログラム学習による教材作成」（NHK学園による通信教育教材、数学及び英語）に関するプロジェクト事業に参加するように指名され、国立教育研究所（茂木教官）と埼玉大学心理学教室（長塚教授）に指導を受けることになる。この縁で、心理学の手ほどきを受け、大学院に学ぶことになる。高校教員（夜間部勤務に移動）と大学院生の二股生活である。

大学院に進学して、その後の学問研究の流れに影響を与えたことについて述べる。

当時、教育改革の波は世界を席巻する一つであった。ミハイル・ゴルバチョフの「ペレストロイカ（改革）」につながることになるソビエトの教育事情を報ずる書籍も、ナウカ書店や日ソ図書から購入できるように解放され、「ロシア語を読む研究会」が院生室にあり、参加する。その成果は心理学関係の2翻訳書の一部分を担当すること、となる。以後、心理学や教育学に関するロシア語文献も抵抗なく目を通すことになる。

もう一つ、その後の研究生活を続けるにあたり、その根底で常に考えていることは、指導教官（辰野千寿教授）の次のような趣旨の教えである。講義（特別演習）で語られたことであるが、「哲学が先にあって、心理学はその後に、その気になる（疑問となる）一部を実証することになる。したがって、心理学は決して哲学の先を行くような論法は研究として為すべきではない」と。要するに、教育問題でいうと、教育哲学が先行し、その後から、教育心理学は重箱の隅をつつくように、その一部分を実証する研究スタイルとのことであろう。この指摘は、その後の研究に際して、心構えとして続けている。

大学教員になって以後、教員養成大学の教職科目（教育心理学、発達心理学）の担当者として、概論講義、演習、特殊講義、実験実習及び論文指導という通常の教育業務の履行にむけた資料や共著のテキストづくりから、啓蒙書に関わる。そのあい間を縫って、細々と、学生、小学生、幼稚園児たちを対象とする実験を基に、実証的研究論文を発表している。年齢との関連で、その研究経過とテーマを「はじめに」で示した。

しかし、担当する専門科目とそれに関連する研究分野を踏み外しそうになることが起こった。

大学内の担当科目人事で、突如「道徳教育の研究（必修科目）」の授業担当者の一人になったのだ。専門外なので、講座内の会議で一度はお断りしたのだが、結局やむを得ず担当を引き受けることになる。心理学に近いところを有しているとは言え、当時の自分の視点からすれば、華やかで、上品で、近づきがたく、大きな深い溝があると思っていた。

しかしあろうことか、この分野に手を染めたことが、その後想像もできない展開を招くことになる。

一つは、「宮城県道徳教育推進会議委員（座長）」（60歳代、6年間）になったことである。

二つ目は、50歳代後半からの教育委員会との連携協力事業である。これは、文部科学省の進める「道徳教育の地域連携事業」で、大学と仙台市教育委員会で取り組むことになる。

この連携事業に本大学も参加することにあたり、不承不承「道徳教育の研究」一コマを担当していたこともあって、当時の学長から責任者を命じられる。

とまどったが、「教育委員会のやりたいようにさせなさい、邪魔をしないように」との言葉を聞いて、この任を担当させた意図は理解できた。このような経緯で、この分野の研究に踏み込むことになる。

最も苦手で、近寄らずにいたかったのであるが、世の中は、不思議な、皮肉な展開が起こることもある。「逃げたら追ってくる」「追いかけると逃げられる」。

しかし、この研究に後ろ向きで関わったことが評価されることになる。平成21年度の「日本道徳教育学会賞」受賞（66歳）、平成22年度の日本教育連合会「教育研究賞」受賞（67歳）。これらの受賞に伴い、在籍の北陸大学学長から「学長表彰」を受けた。

（2）定年退職後の「学問」研究

定年退職後、二カ所の職場で満期定年を経験することになるが、「学問」研究に関しては、新たな研究を求めて76歳で大学院研究科研究生として東北大学に入学する。指導を受ける経緯のなかで、指導教授から、新たな研究よりもこれまでの論文をまとめるようにと勧められる。

こうして、冒頭に挙げた研究のテーマに基づいてそれまでに公刊された発表論文（主要16論文）を整理し、定年後の2論文を含めて、それらの論文をまとめ直した結果、学位論文「認知活動における固定性の発生・転換に関する「構え」研究」となる。

私の「学問」研究といえば、この論文にすべてが集約されていることになる。論文内容を述べると次のようになる。

問題に直面した時、人はある習慣的な反応様式に従ってそれを解決しようとする。多くの場合、その習慣的な反応様式は問題解決にとって有効である。しかし、時には、問題解決に繋がらない場合がある。それにも関わらず、問題を解いている当人は、従来の習慣的反応様式に固執し、それを繰り返し適用し続けてしまうことがある。このような現象は、心理学において古くから注目され、行動の硬さ（rigidity）、心理的構え（mental set）などの観点から捉えられてきた。

本論文では、そのような「構え」に焦点を当て、その発生と展開のメカニズムを主体性と発達的視点から明らかにすることを目的とした。その際、とりわけ、ウズナーゼ学派（ウズナーゼを中心に、グルジヤ［現ジョージア］のトビリシ大学心理学研究所の心理学研究者たちで構成される学派）の「構え理論」を批判的に検討した。ウズナーゼ学派の提唱する理論では、「事態・対象」と「欲求」という二つの条件から形成された「一次的構え（primary set）」と繰り返し呈示されることによって形成された「固定された構え（fixated set）」の区別が十分になされていないという問題がある。その点を踏まえ、本論文では、新たな実験方法を開発することによって構えの形成と展開を明らかにし、「固定された構えの発生モデル」を提示することになる。

本論文は、大きく3部から構成される（以下、ポイントを落として詳細に述べるので、飛ばして次の節以下を読んでください）。

第Ⅰ部「問題の背景」は、2つの章からなる。

○まず、固定された活動・行動の形成及び活動・行動発生の準備性の研究動向を整理した。次に、その結果に基づき、ウズナーゼ学派の「構え理論」をモスクワ学派（モスクワ大学の心理学者ザポロージェッツ、レオンチェフ、ガリペリンたち）からの批判との関連で整理するとともに「固定された構え」の研究におけるゲシュタルト心理学者ルーチンスとウズナーゼ学派における実験方法を比較検討した。

○「構え」を捉える新たな視点を提案するとともに、3つの研究目的とそれに基づく仮説及び作業仮説を設定した。研究目的1は、「固定された構え」の発生に対する「構えの一次性」の検討をすることである。研究目的2は、「固定された構え」に対する「構えの人格性（主観性・欲求）」の関与を検討することである。研究目的3は、「固定された構え」の展開過程（発生・転換・崩壊）に及ぼす他者の介入（情報）の影響を検討することである。

第Ⅱ部「認知活動における固定性の発生・転換——固定された構え研究」は、4つの章からなり、3つの実験的研究から構成された。

○研究目的1に関連して、「固定された構えの『一次性』に関する検討——『多義的な絵』の知覚に及ぼす教示の差異効果」と題して、4つの実証的研究を行なった。

○繰り返し呈示される過程で漸次的に固定される構えは「一次的」に形成されるのか否かを検討するために、呈示対象の量的性格「大きさの比較」に注意を集中させる教示方法を用いて2つの実証的研究を行なった。その結果、構え研究の実験で実施されている「固定された構え」は、定位・探索活動が「一次的」に起こり、その結果「二次的」に形成されたものだということが示唆された。

○研究目的2に関連して、「固定された構えの『人格性（主観性・欲求）』に関する検討——幼児・児童の知覚変容に及ぼす『欲求』の作用」と題して、4つの実証的研究を行なった。その結果、「欲求」に強く動機づける状況を作りだすことによって、一瞬に構えが発生することが確認された。また、この構えは、「固定された構え」と比較すると、構え形成後の消去過程で変容し易いことが示された。さらに、被験者の年齢段階（4、5歳児、小学1年生、小学5年生）で起こる構えの発生率は「一次的構え」に関してはほとんど差異がみられないものの、「固定された構え」では年齢が上がるに従って増大する傾向が確認された。

○研究目的3に関連して、「意識化させる『介入』による『固定された構え』の形成・転換・消去――検証実験における『多義的な絵』の反応に対する情報提供としての介入」と題して、2つの実証的研究を行なった。その結果、健常児・高学年生（小学校5年生）が最も適切な「構えの転換」（形成され易く、消去され易い）を示すこと、知的発達に遅れがある子どもは、介入によって大きな混乱を起こすことなど、最も不安定な弱い構えを形成することが確認された。これらの結果から、「固定された構え」の発生とその後の消去過程に関しては、対象者の認知的発達という視点から捉えていくことの重要性が示唆された。

第Ⅲ部「総合考察と展望」は3章からなる。

○「研究目的1～3」のまとめと「仮説1～3」の検証を行ない、①「一次的構え（primary set）」と「固定された構え（fixated set）」ではそのメカニズムが異なること、②「固定された構え」

の形成には、欲求が関与すること、③「固定された構え」の展開過程には、他者の介入が影響し、その程度は個人の認知発達によって異なることが示された。この点で、仮説は概ね検証されたと考えられる。

○求められる研究の方向性として、「認知課題の解決過程における固定性」を検討するための新たな視点を提案した。

○「本研究の課題と今後の新しい研究の方向性について」では、「固定された構え」発生モデルの視点から、①構え理論のさらなる問題（思考活動の「客観化行為」「社会的構え」）の研究、検討に拡げていくこと、②活動・行動の固定性（固執性、固着）からの脱出をめざす「臨床的分野の研究」の必要性について述べた。

教育労働者として――越し方の振り返り

（1）「人生の歩み」分岐点

この職業への進路選択としての分岐点は、中学校卒業時まで遡る。それは、中学校長の言葉（エール）であり、今日でも忘れることはできない。当時、卒業後の進路を決めかねていた（一つは、東松山市にある全国で唯一のラジオ・テレビ科の職業補導所に進むのか、もう一つは、隣町の電気工場の工員になるのか）とき、校長室に呼び出される。目にしたのは、病気がちで、弱々しく見えていた先生がこれまでに見たことのない形相で、いきなり、しかも強い語気を発する姿であった。「行き止まりのところに行くのではない。先の繋がるところで学びなさい、わかったね」。全日制高校への進学など考えられない家庭環境を不憫に感じて、声をかけて下さったのだと思う。その支援で進路は、昼は工員として働き、夜間高校生となる4年間を経ることになる。

特別意識したことはなかったとはいえ、学びの先をめざしたことで、曲がりくねりながらも少しずつ先に進められたのかもしれない。校長先生の意図は、当時、充分に推測できなかったが、ここまで生きてくると少しばかり理解できることもある。歩んできた道のりは、「ケモノ道」であれ、兎にも角にも、先に繋がる学びを進めている。その方向を目指す指示のエール（言葉）を送って下さった高橋校長先生に感謝する次第である。

（2）職場での活動

その後、人生の進路過程で起こる選択でも多くの方々の導き、支援を受け続けてきている。

元来、幼い頃から学校では口数の少ない、人付き合いも苦手で、嫌われ者の身であれば、教育労働者に向いているとは思わなかったし、実際そうであった。

職場である大学内でも変わることなく、キッパリと断る手段を心得ていないので、相手からの要求を引き受けることが多くなる。

職場内における通常の教育業務の他に、教員で構成する各種委員会の委員及び委員長職には教授会構成員の中でも数多く関わってきた方である。

また、学内の教職員で構成される「大学教職員組合」の執行委員、書記長、委員長を務める（30歳代後半～40歳代）。さらに、学生と教職員の大学構成会員から組織される「大学生活協同組合（大学生協）」の理事（50歳代から）、理事長（定年間近までの10年間）、及び同時に、「全国大学生協連合会」のプロジェクト委員会「人・自然・まちづくり・・・」の構成委員となる。

要するに、「便利屋」であり、「員数あわせ」である。それでも引き受けると、それはそれで結構、居心地がよいのである。

（3）唯一の趣味

酒は飲まない（飲めない）、たばこは吸わない（吸えない）、車は使用しない（運転できない）。ないないづくしで、文化の薫りなど享受することのない生活を過ごしている。

しかし、唯一の趣味というか、息抜きとなるのは、プロ野球の視聴であり、その観戦である。幼少期の頃から野球をし、中学校まで野球部に所属し、選手でもあったので、楽しく、話題にもつきあえる。小学生の頃からラジオにかじり付いて試合の経過に一喜一憂していた。応援する阪神タイガースは強くもない、弱くもない球団であったが、主力投手小山、村山、江夏の頃は特に「ハラハラ、ドキドキ」である。1点取られると試合は負け、と思うほどの「守りのチーム」で、「猛虎打線」などいつの頃の話か。負けが込んで「ダメ虎」と揶揄される長い低迷期もあった。70年近いつきあいの中で、人生の歩み方を「負け試合」から学び、教わることになった。死ぬまで見捨てない、離れない。この楽しみしかない、教養もない、実に「つまらない人間」である。

「追記」

夢も希望も抱けることなどあり得ない状況で始まった人生の、「学問」とは言い難い研究の経緯である。

想い出しながら述べてきたが、「表の部分」として、都合の良いことのみ触れている。当然、これと同程度に想い出したくない、赤面の「陰の部分」がある。これについては削除されている。過ぎ去ったことなど、どうでも良いのかもしれない。これまで、振り返ることを、極力避けて生きてきた。今さら、人生への上書きなどあろうはずがない。老いても、半歩でも、前を見据えて生きていきたいだけである。ご容赦を！

［ひとりのイギリス人作家を追い続ける「学び」］

倉田雅美

1947年、東京都に生まれる。1970年、立教大学文学部英米文学科卒業。1972年、立教大学大学院文学研究科修了。1977年、ノッティンガム大学大学院修了。2008−2009年、ケンブリッジ大学、ノッティンガム大学客員研究員。現在、東洋大学名誉教授。日本ロレンス協会元評議員。

［主著］

『壮大への渇仰』共訳：［法政大学出版局 1985］
『〈身体〉のイメージ—イギリス文学からの試み』共著：［ミネルヴァ書房 1991］
『D・H・ロレンス事典』共編訳：［鷹書房弓プレス 2002］
『ロレンス—人と文学』［勉誠出版 2007］
『ロレンス 愛と苦悩の手紙—ケンブリッジ版』共訳：［鷹書房弓プレス 2011］
『一人の詩人と二人の画家』共訳：［春風社 2016］
『D・H・ロレンスと雌牛スーザン』共訳：［春風社 2019］他

英米文学科での学び

大学の学部選びは迷っていた。経済学部にするか経営学部か、それとも法学部か。だが、こうした未知の分野で学ぶ自信はなく、それならば中学校から親しんできた英語を学び続けてみることにした。極めて選択肢が狭い学部決定であった。そこで文学部を選び、英米文学やドイツ文学、フランス文学等さまざまな授業を受けることとなった。語学としては英語をはじめドイツ語とスペイン語の授業を履修した。当時（昭和四十年代初頭）、文学部の男子学生は卒業時の就職に他学部の学生と比べてハンディキャップが多く、就職が難しいとされていた。そこで、英語を中心とした外国語を学んでおけば将来の就職活動が有利にできるだろうというのが私の目論見だった。将来に対する不安を多少とも緩和してくれるだろうという外国語依存に縋《すが》ったのである。

英米文学科での主専攻はイギリス文学、アメリカ文学、英語学、言語学などがあり、当時人気のあった分野は英語学や言語学であった。その理由は、こうした実用的な語学分野は将来の就職に有利だからであり、多くの学生が専攻していた。私は特にイギリス文学に関心があり、それも王道のウィリアム・シェイクスピア（１５６４–１６１６）やロマン派の詩人たち（１７９８－１８３２）ではなく、現代イギリス文学であった。
ある授業でデイビッド・ハーバート・ロレンス（１８８５－１９３０）という作家の作品を読むことになり、この作家のテーマや作風が私の魂の琴線に触れた。それまで英語に関しては文法とか語彙を中心に学んでいたのだが（いわゆる受験英語である）、この作家の作品に触れて英語という異文化の言語を通して「イギリス文化」を生々しく感じ取るという異文化体験を初めて味わい、これがロレンスを専攻する理由のひとつとなった。

都内の下町で育った私は、自然がほとんど無い環境が人間の住む世界だと思っていた。ところがこのイギリス人作家は、イングランド中部ノッティンガムシャーの田園地帯で生まれ、育ち、その後、世界各地を歩き渡り作品を書き続けた。この作家を専攻することでイギリス文学・文化、またイングランドの自然の魅力について知り、私が育った都会は本来人間が住む世界とは言えないことを痛感した。ロレンスを通してヨーロッパや当時の世界事情までも学ぶことになったのは、思いもよらぬ収穫であった。

学部在籍時にロレンス作品を中心にさまざまなイギリス文学を読んだが、一度限りで二度と読む気にはならない作家や作品は多かった。一般読者には二種類いると言われ（これはロレンスの言だが）、それは同じ作品を何度も繰り返し読み続ける読者と、さまざまな作品を一度だけ読んで終わる読者で、私の場合は前者である。幾度も同じ作品を読み返し、その都度、新たな発見をして感動する。長く歴史に残る作家の作品には何度も味読する価値があり、そこに読者は惹き付けられる、ということである。世界文学の中には一度読んで終わり（作品が持つ意味と価値が分かる＝限界が知れる）という作家も多くいるが、同じ作品を繰り返し読むことで新たな感動を与えてくれる作家もいるのである。こうした読書法は私の性に合っているだけではなく、読書に限らず人間関係にも言えることである。つまり、多くの知人や友人と浅い付き合いをもつか、それとも数少ない友人と長く深い関係を築くか、ということである。私には数は少ないが深く長い付き合いのある友人がいる。彼らとは会う度に新鮮で新たな関係を認識させられるのである。

英米文学科での学びはイギリス文学だけではなく、その後の私の生き方にも大きな教訓に満ちた価値観を植え付けてくれた。

D・H・ロレンスと猥褻文学

言うまでもなく作家にはそれぞれ独自の「顔」がある。この「顔」は作品で表されたテーマ、文体、表現力、作家自身の生い立ち、また活動時の社会や時代背景などにより作られる。こうした複合的な要素で作家の「顔」は形成されてゆく。階級社会であるイギリスでは特に作家の生い立ちは「顔」の形成に大きな影響力をもつ。例えば、英国ルネッサンス期を代表するエドマンド・スペンサー（1552–99）は上流階級出身の詩人で、彼の代表作である『神仙女王』（1589–96）を身近に感じる労働者階級の人たちはどれだけいるだろうか。また、農家出身で後に商売で財を成した父親を持つシェイクスピアはイギリスのほとんど全ての階級の人々に受け入れられている劇作家だが、「万人の顔をもつシェイクスピア」（Myriad-minded Shakespeare）と言われる彼の「顔」には商売人の影がちらついて見える。一方、チャールズ・ディケンズ（1812–70）の作品には彼の生い立ちが如実に表れていて、多くの一般的なイギリス人読者を惹きつけている。こうした作家の多様な「顔」こそがイギリス文学の「顔」つまり、大きな特徴となっている。

父親が炭鉱夫で貧しい少年時代を送ったロレンスは、上・中流階級とは無縁の青春時代を過ごした。産業革命以前のイングランド中部は自然豊かな土地であったが、次第に周囲からは「鳥や動物、花」が失われていった（ロレンスの詩集に『鳥と獣と花』、1923年がある）。45年間に亘る生涯で小説や詩、戯曲、評論、紀行文、イタリア文学の翻訳などを残した多作家だった彼の「顔」には、ある種のイングランド人特有の不快感は見られない。相手に対する警戒心や猜疑心、支配力、詮索好きの感情、嫉妬や妬み、闘争心、相手によって変わる表裏の感情、名誉心や金銭欲、また、現実的に生きてゆく処世術への志向などの表情がロレンスの「顔」には見られない。多くの読者が彼の作品に惹かれるのは、彼の意識的な人間性を嫌う性向からだろう。

ヴィクトリア女王朝（1837－1901）以降多くのイギリス人が呪縛されていると思われる道徳観をロレンスは嫌悪した。ドイツ系の女性であった女王は形式や体面、精神性を重んじ、再婚女性を宮廷に入れることを断じて禁じたと言われている。こうした道徳観は今日でも多くのイギリス人の感情の中にあると言えるだろう。物質文明は重んじるが、人間存在の根本ともいえる肉体（性）を締め出し、人間は肉体的存在（性的存在）であってはならず、精神性こそが最も重要であるという認識。ヴィクトリア女王朝以降、多くのイギリス人の人間理解の根底には、肉体（性）を人間存在から切り離した感情が残った。

ロレンスはかつて猥褻文学の作家として語られていた。出版と同時にイギリスで発禁処分となった作品は長編小説の『虹』（1915）であり、『恋する女たち』（1920）は出版社から出版を拒否され、また、『チャタレイ夫人の恋人』（1928）がイギリスで無削除版が出版されたのは1960年になってからだった。これらの作品が発禁処分になった理由は、愛欲場面が露骨だからというものであった。だが、「猥褻文学とは人間の性を侮辱し、汚す行為である」（「猥褻文学と卑猥」、1929）とロレンス自身が述べているように、彼の作品には「性を侮辱し、汚す」意図はなく、描写もない。むしろ、ヴィクトリア朝では性を汚す行為や意識が人々の中に渦巻いていたと言えよう。ロレンスはこうしたイギリス人や時代の風潮に反発し、自由でおおらかな性を作品中で語ったに過ぎない。人間が人間らしく「生きる」には性の復権が必要であり、それが本来の「人間性の復活」（ロレンス研究者はこう呼ぶ）に繋がるものである、と言い続けたロレンスであった。

職業としての翻訳

学部生の3年次だったと思うが、ロレンスのある短編小説を翻訳して、指導教授に添削をお願いしたことがある。教授は当時、日本でも著名なロレンス研究者のひとりであった。短編小説の英文はそれほど難解なものではなかったが、教授は丁寧に読んで下さり、英文の誤訳や脱訳、また日本語の表記についても添削して下さった。それまで英語という外国語を学んでいた私にとって特に重要だったのは、作家の思想や作品に込められたイギリスの文化的背景を考えながら英語を日本語に翻訳する時の感動であった。この時の強烈な思いは、その後の英文翻訳の際の原動力になっていった。

　二十歳代の後半にある教授から本格的な翻訳の仕事の話を頂いた。対象の書籍はアメリカ人ジャーナリストによる評論集で、十八世紀以降の主にイギリス、アメリカ、フランスを題材にした文化論であった。出版元は学術書で定評のある都内の大学出版局で、それまでロレンス文学を中心に読んでいた私には貴重なチャレンジであった。当時すでに大学で教えていた私は、校務や授業で多忙を極めていたが、十八世紀イギリスの壮大な建築物の歴史やエドワード・ギボン（１７３７－９４）、摂政時代（１８１１－２０）、ジョージ・ゴードン・バイロン（１７８８－１８２４）の生涯、またフランスのルイ十四世（１６３８－１７１５）の時代、さらにアメリカのヘンリー・アダムズ（１８３８－１９１８）等に関する評論を読んで知見を広めることができたことは大きな収穫であった。

　その後も大学に勤務しながら、研究論文の執筆に加えてイギリス文学、主にロレンス作品の翻訳に携わることになり、翻訳を通してさまざまな知識を増やすことができた。翻訳は知識の宝庫となった。

私がこの時期（三十歳代後半）に時間を割いたのは、ロレンス文学の原点とも言える彼にまつわる土地を巡ることであった。イギリス社会に溶け込めなかった彼はヨーロッパを中心に世界の各地を歩き回った。第一次世界大戦時にはドイツ（彼の妻はドイツ人だった）→イタリア→オーストラリア→アメリカ大陸→スイス、そしてイギリスへ帰国し、最後はフランス南部の地（ヴァンス）で果てた。その間に彼をして世界的に著名な作家にした『チャタレイ夫人の恋人』を完成させた。私は未だ本作品の専門家ではなく、今後、主人公のコニーとメラーズの関係（男女の愛）を理解した時に私のロレンス研究は終わるのではないかと考えている。

勤務していた大学から支給される研究費のおかげでロレンスが巡った土地を訪れ、彼が見たであろう土地の風景を見、吸ったであろう空気に触れられたことはロレンスを総合的に理解する大きな一助になったことに間違いはなく、大学への感謝は今でも忘れられない。人間が果てる時に想起する思いは名誉や物質的な富ではなく、その人が生前に経験した思いである、と言われるが、私の場合はロレンスと縁のある土地を巡った思いだと思う。

専門家によるロレンス研究の組織として、「日本ロレンス協会」はじめ「D・H・ロレンス研究会」、「東北D・H・ロレンス協会」、「福岡D・H・ロレンス研究会」、また、「立教大学Ｄ・Ｈ・ロレンス研究会」などがあり（吉村宏一氏、２０１２）、特に京都を中心に活動している「Ｄ・Ｈ・ロレンス研究会」（１９７１年設立）は、ロレンス文学の原点である作品研究に重点を置いてさまざまな活動を地道に行っていることで定評がある。現在、本研究会はロレンスの全書簡の翻訳を進めていて、５７００通ほどの書簡の全訳はロレンス研究における大きなチャレンジと言えるものだろう。私も参加させて頂き、現在、１９２２年代の書簡の翻訳を進めているところである。

大学教員にとって翻訳は論文よりも研究業績としての評価が低く、特に若手研究者は、業績重視の観点から論文執筆を中心に研究活動を行う傾向がある。将来の昇格を考えると致し方のないことだとも思えるが、文学研究の場合は作家の作品を味読することが重要であり、それが翻訳に繋がれば作品理解はより深いものとなる。文学研究は理論や方法論だけで行うものではなく、作家の原点である作品研究を重視して行われるべきである。

これからの学び

中学一年生の時から英語を学び始め、高等学校では英文法や語彙の暗記に時間を掛け、多少の受験英語を勉強し、大学での学部選びの選択肢は文学部に限られ、出会ったイギリス文学を専攻して教員になった経緯を思い返す。経済学や法学、社会学、ましてや理工系の分野を学ぶ余裕も能力もなく過ごした青年時代であった。学校では決して優秀な成績を収めることもなく、ひたすら英語とイギリス文学だけに身を投じ、D・H・ロレンスという作家に出会い、彼を通してイギリス社会や文化のみならず世界の事情についても学ぶ切っ掛けを得た。ひとりのイギリス人作家を追い続け、彼について深く学び、それがその後の職業に直結したことは幸運であったとも言えよう。多くの職業人が退職後も専門に結び付いた学びを継続しているとは限らない。私の場合は、英語という外国語に縋《すが》るしかなかったことが幸いだったと言える。

翻訳の作業は精密機器を組み立てるのに似ている。一字一句を適切な日本語に置き換えるには原文の正確な理解だけではなく、作者の境遇や文化的、社会的、また時代的な背景を知り、訳文に反映させる必要があり、こうした作者および作品の背景を把握するには多様で広範な調査が必要となる。原文と作者に関わる情報を的確に掴み、訳文をより正確なものにする必要がある。正確かつ的確な訳語をひとつずつ組み合わせ、まるで精密機器を完成させるような技量と時間が必要なのである。その過程で必須となる情報やその分析は翻訳作業に伴う学びそのものとなる。翻訳が学びの宝庫と言われる所以であり、翻訳を続ける限り学びと縁を切ることはできない。

99％が正確な訳でも、１％の誤訳や脱訳、また表記の誤り等があると、その翻訳は「誤訳だらけ」として批判を受けかねない。これは訳者にとっても読者にとっても不幸な結果と言うべきだろう。

私は現役退職後のこれからもＤ・Ｈ・ロレンスの作品やイギリス関係書物の翻訳を続け、こつこつと正確な訳語を探し、組み立て、原作者の意図をより正確かつ的確な日本語に置き換えることで「学び」を続けることになるだろう。

[定年後の学問の楽しみ]

川井万里子

一九三八年生、東京女子大学英文科卒
東京都立大学大学院英文科修士課程修了
現在、東京経済大学名誉教授

[主著]

『みんな愚か者』翻訳:[成美堂 1993]
『アーケイディア』共訳:[九州大学出版会 1999]
『フェヴァシャムのアーデン』翻訳:[成美堂 2004]
『英国におけるエンブレムの伝統――ルネサンス視覚文化の一面』(カール・ヨーゼフ ヘルトゲン)共訳:[慶應義塾大学出版会 2005]
『廷臣詩人サー・フィリップ・シドニー』共訳:[九州大学出版会 2010]
『「空間」のエリザベス朝演劇――劇作家たちの初期近代』[九州大学出版会 2013]
『十七世紀英文学を歴史的に読む』共著:[金星堂 2015]
『甦るシェイクスピア――没後四〇〇周年記念論集』共著:[研究社 2016]
『トロイア戦争の三人の英雄たち――アキレウスとアイアスとオデッセウス』[春風社 2018]
『ビュッシイ・ダンボア』翻訳:[春風社 2022]他

定年後の学問の楽しみといえば、義務や責任から解放された自由な時間に、改めてじっくり再読した本のなかに、以前には気付かなかった面白さを発見し、新鮮な喜びを感じる時ではなかろうか。井上ひさしは、苦しい時に人を励ます物語の力を信じていて、過去から受け取った物語に、自分の経験や見方を加えて次世代に渡す彼自身を中継走者と称していた。誰かの喜怒哀楽の物語が文学を通じて継承され、後に続く誰かが、そこに己の似姿を見出して励まされ、もう一歩踏み出す勇気を与えられる。私も定年後の自由な時間を利用して慣れ親しんだ古典作品をゆっくり再読し、そこに見出した新しい面白さを付け加えて次世代にバトンタッチしたいと願っている。

だが、近年は文学の役割を低く見る傾向から、小中高大学の国語や英語の教科書から文学教材がずいぶん減らされてきている。そのことと、二〇二二年の小中高生の自殺者数が統計のある約40年間で最多の514人に上ったこと、例年10－19歳の死因で最も多いのが自殺で、厚生労働省のまとめでは主要七ヵ国（G7）では日本だけの現象であることとは、無関係なのだろうか。不安と生きにくい時代の閉塞感の中で、若年層のいじめ・不登校・自殺が増えている今日、若い読者の心の糧となり生きる支えとなる真に優れた文学の継承への待望がかつてないほど高まっている。

待望に応えるのは、たとえば『戦争は女の顔をしていない』（一九八四年）。ベラルーシのノーベル賞受賞作家スヴェトラーナ・アレクシェーヴィッチが第二次世界大戦の独ソ戦に従軍した女性たち五百人以上に聞き取りをして、女性の視点から戦争の真実を明らかにしたノンフィクション。「私たちの時代における苦難と勇気の記念碑」と称された。『女たちの沈黙』（二〇一六年）。英国ブッカー賞受賞作家パット・バーカーがトロイ戦争敗北後、敵軍の戦利品として男性の奴隷となったリュルネソスの元王妃ブリセイスの声によって『イリアス』の物語を語る小説。「二十一世紀に書かれた最良の本の一冊」と評された。『戦争は女の顔をしていない』と『女たちの沈黙』の二冊は、戦争と男性に虐げられ沈黙を強いられてきた女性たちに自分の言葉で体験と意見を表す声を与え、女性に対する性的暴行をなくそうという「#ＭｅＴｏｏ運動」が世界中で盛り上がるきっかけを作った。文学は人間一人一人の心や意識をゆり動かし、社会全体の構造を内側から変えてゆく大きな力を持っているのである。

そして本稿が推称するシェイクスピアの『トロイラスとクレシダ』（作一六〇二年頃、一六〇三年出版組合登録、初版一六〇九年、以下『トロイラス』と略称する）。中世以来の道徳説話で格言にもなっていた「忠実なトロイラスと不実なクレシダ」の物語をシェイクスピアが同時代つまり一七世紀初頭の近代初期イギリスの世相に合わせてリメイクした愛と別れの青春ドラマである。元の話の骨子を生かしつつ、トロイ戦争下のギリシャ・トロイ両軍の複雑な人間関係と歴史説話を縦横に織り込んだ壮大な人間ドラマである。一六〇二年頃に書かれた本劇は法学院の学生達の前で上演され、改訂版が地球座《グローブ》で上演されて以来、不人気で三〇〇年余の長い不遇、酷評の時代を送った。しかし二十世紀後半になって、戦争と男性の暴力に怯えながら人間としての尊厳を守るために必死に闘う女性の弱さと強さを表現する作品として観衆の共感を得て上演回数が激増した。ポーランドの批評家ヤン・コットの『シェイクスピアはわれらの同時代人』英語版（一九六四年）で「驚異的にして現代的な人々」と評された。

本稿では、中世道徳説話の概略を述べたのちにシェイクスピアのクレシダ像の特徴を紹介したい。悲劇でも喜劇でもない問題劇の常として、この劇も決着のつかないオープンエンディングなので、トロイラスとクレシダのその後の物語を読者が自由に想像できるのも楽しみである。

一

ホメロスの『イリアド』に名前だけ言及されるトロイラスとクレシダの物語がボッカチョやチョーサーなどの翻案化を経て伝説化した物語の荒筋は次の通りである。

独身男性のトロイラスは祭りの最中に見かけた寡婦クリセイデに恋焦がれ、彼女の叔父パンダルスの仲介で恋を成就させて二人は結ばれ永遠の愛を誓う。しかし、直後に捕虜交換の決定により、クリセイデはギリシャ軍に引き渡されてしまう。トロイラスは誓いを守って待ち続け憔悴してゆくが、クリセイデは十日以内に戻るとの約束に反して帰らず、新しい環境に慣れてギリシャ軍将校ディオミデスの愛人として生きてゆく。後日譚としてロバート・ヘンリソンの『クレセイドの遺言』(一四七〇年頃)では、クリセイデはその後、ディオミデスに捨てられて、らい病やみの乞食女に落ちぶれて、物乞いしている姿を戦場帰りのトロイラスに見かけられ施物を与えられて、過去の裏切り行為を後悔する。(1)

十六世紀末までに観客にも定着していた「忠実なトロイラス像」は『ヴェニスの商人』(五、一、三―五)の「こんな夜には、トロイラスがトロイの城壁に上って、その夜ギリシャ側のテントに横たわっているクレシダを想って、心の底からの切ない嘆きの溜息をついているに違いない」であり、「不実なクレシダ」の哀れな末路は『ヘンリー五世』（二、一、七四－七七）の「らい病になったふしだら女クレシダのような女、名前はドル・ティアシート」と点描されている。

二、シェイクスピアの『トロイラス』におけるクレシダ像について

チョーサーのクリセイデは寡婦財産を持つ裕福で気位の高い寡婦であるが、シェイクスピアの『トロイラス』のクレシダは、おそらく十代半ばか後半の未婚のか弱き少女である。彼女は、父親で予知能力のあるトロイの神官カルカスがトロイの滅亡を予知してギリシャ側に転じた際、叔父であり売春宿の女衒でもあるパンダラスに預けられたために、又後に、カルカスの発議で、アンテノルとの捕虜交換で恋人トロイラスから引き離され、ギリシャ軍将校ディオメデスの保護管理に任されたために、二度までも娼婦としての役柄を強要される。伝説上のクリセイデは捕虜交換でギリシャ側に移された後に、トロイラスとの誓いを破ってディオミデスの妾になり、娼婦と呼ばれるようになるのに対して、シェイクスピアのクレシダは、はじめから望まずして女衒パンダラス所有の娼婦役を割り振られ

ているのである。伝説上のクレシダは心変わりや浮気など倫理的欠陥ゆえに娼婦と呼ばれるが、シェイクスピアのクレシダは厳しい家父長制下、女性に自立と意志決定権をゆるさない社会構造ゆえにやむなく娼婦になる。

自分が置かれた境遇に対する不安で一杯のクレシダだが、「不安は盲目でも、目明きの理性に手を引いて貰えば、安全な道は見つかります」(三、二、六八－六九)と理性の力を信じる彼女は、与えられた娼婦の役に呑込まれて自己を失う事なく、常に役の外側に立ち、娼婦とは何者か、なぜ自分なのか、自分らしく生きるにはどうすればいいかと真剣に考えている。

スイスの歴史哲学者バッハオーフェン(一八一五－八七)は『母権論―古代世界の女性支配に関する研究　その宗教的および法的本質』(一八六一)で、紀元前二千年頃まで存在していた大地母神信仰の母系制社会が滅び、ギリシャ、ローマの父権制社会が確立すると、父親や兄に持参金を用意して貰えない貧しい娘は自分の肉体を売って持参金を調達する以外にすべはなく、それが娼婦のはじまりである。そこから「嫁資持たぬ女」に対する軽蔑が生まれ、ローマでは嫁資無き者との婚姻を罰するという法律が定められたと述べている。(2)

『トロイラス』の背景であるトロイ戦争のあったと推定される紀元前一二五〇年頃(一

説によるとトロイ落城は前一一八四年）からホメロスの『イリアド』が書かれた前八世紀半ばまでのいわゆる暗黒時代の四百年の間に、ギリシャの家父長制は徐々に確立して前五世紀のアテネ市民社会で円熟期を迎える。桜井万里子や永竹由幸の研究によれば、超男性社会であった古代ギリシャ社会では女性は以下の四種類に分類された。一、男性市民の嫡子を儲け財産を管理相続するための正妻。身分は高いが一日中婦人部屋に閉じ込められ、公の場で夫と同席するなどはできなかった。育児や家事のみに従事する抑圧された生活への妻たちの不満と自由への渇望は、エウリピデスの『メディア』や『バッコスの信女たち』に活写されている。二、男性市民の身のまわりの世話をする内縁の妻、または、側女《そばめ》。婦人部屋に閉じ込められ財産の相続権はなかった。三、ヘタイラと呼ばれる男性市民の妾で高級娼婦の遊女。ギリシャ語のヘタイラは「連れ」という意味で、公共の遊び場や政治討論会などに裕福な男性市民が連れて行った。アスパシア、ネアイラ、タイス、フリュネなどのヘタイラの名が知られているが、最も有名なヘタイラはアテネ最高の政治家ペリクレス（前四九四－四二九）の愛妾アスパシアである。ペリクレスは名門出の妻と結婚し二人の息子を儲けたが、ミレトス出身の外国人で遊女としてアテネに遊女館を経営していた才女アスパシアを愛した。彼女の経営する遊女館は一種の学芸サロンで、修辞学の講義が行われ、ソクラテスも弟子を連れて通ったという。四、自由人である外国人の妻および不特定多数の男性客を相手とする女奴隷あるいは公娼婦である。(3)

この四種類に『トロイラス』の女性キャラクターを対応させると、ヘクトルの妻アンドロマケやプリアモス王の妻ヘカベは正妻であり、不吉な夢を見てヘクトルの出陣を止めようと必死に説得するが、ヘクトルから「奥へ行っていろ」と婦人部屋に閉じ込められて無力である。アポロ神の求愛を拒否したために、予言能力はあるのに、誰にも信じて貰えないカサンドラと同様不幸である。ヘレネ(プリアモス王の次男パリスが誘惑してトロイに連れ帰ったスパルタ王メネラオスの妻で、絶世の美女)に準じる美貌と機知に富む会話能力を併せ持つクレシダは、古代ギリシャにあってはヘタイラ待遇の高級遊女に分類されたであろうが、父カルカスの采配でギリシャ将校ディオメデスの管理下、外国人捕虜娼婦として複数のギリシャ軍将校たちの前に引き出される時のクレシダは、四番目の分類の不特定多数の男性客を相手とする公娼婦、または従軍慰安婦扱いである。

パンダラスはクレシダの「話し方」の魅力を褒め(一、一、四三)、ネストルは「打てばひびくような」クレシダの機知に驚き(四、五、五四)、トロイラスも「そんなに賢い言い方をするのだから」(三、二、一四七)と彼女の能弁に感嘆している。クレシダは「わたしが恋から教わった格言はこう、〝手に入ったら命令者、入らぬうちは嘆願者〟。私の心はトロイラスへの揺るがぬ愛firm loveで一杯だけど、そんなそぶりはこの目にものぞかせずにいよう」（一、二、二八五－八六）という独自の恋愛操縦術に基づいて、内心のトロイラスへの恋心を隠蔽してわざと彼の評判にけちをつけたり、からかったりするひねりの効いた地口を駆使する。例えば一幕二場のアレクサンドロスやパンダラスとのやりとりだけでも、stand（立つ、勃起する）、know（知る、セックスする）、golden tongue（お世辞上手）、a merry Greek（道徳的にだらしない人）、lifter（持ち上げる人、泥棒）、an idle egg と an idle head と似た音の遊び、nod（うなずく）と noddy（間抜け）の連想などである。クレシダの言葉遊びはアスパシアの修辞学に引けを取らない現代的で洗練された言語感覚の冴えを示している。

だが『トロイラス』には同じ問題劇でも『尺には尺を』のイザベラとマリアナ、『終わりよければすべてよし』のヘレナと伯爵夫人との間に見られるような女性同士の助け合いや連帯は見られない。周囲の女性キャラクター（ヘレネ、アンドロマケ、ヘカベ、カサンドラ）の中に望ましいロールモデルも共闘すべき仲間も見出せないクレシダは孤独である。

だが、父親から捨てられたためにやむなく娼婦となったクレシダは、個人の経験を超えて三千年の人類史最古の職業とされる娼婦たちすべての血と涙の歴史を背負う普遍的な娼婦像となる。それ故、ただ一人で、ギリシャ軍将校たちの集団暴行に晒された際、クレシダは、貧しさゆえに男性によって商品化され搾取され、「尻軽女 daughters of the game」(四、五、六四) と貶められた無数の娼婦たちの無言の抗議を代弁して、敢然と抵抗する。V・トマスによれば、一九八五年のハワード・デイヴィス演出、ロイヤル・シェイクスピア・カンパニーの『トロイラス』上演で、ジュリエット・スティーヴンソン演じるクレシダは、戦争の犠牲者としての女性が複数の軍人に襲われ恐怖と怒りに慄きながら精一杯抵抗して力を獲得してゆく過程を迫真的に演じた。結果、ユリシーズの女性蔑視発言は覆され、観客の意識は娼婦の人間性の尊厳に覚醒し、社会の女性観を根本的に変革する影響を与えた。(4) アンナ・カマラリは以後この場面の演出は将校たちの行動の暴力性と抵抗する女性の弱さと強さを強調することで観客の共感を呼び、本劇の上演回数や集客率が急速に伸びたと証言している。(5)

クレシダは自身の内奥の亀裂と分断を自覚している。

試しに行かせて。
別の私をおそばに置いてゆきます、

でも、それは私を離れて誰かのおもちゃになる
不実な私。もうここには居たくない。

三、二、一四二－四五

これほど正確で残酷な自己分析はない。クレシダは、内面に存在する二人の別人格――トロイラスへの変わらぬ愛 firm love という本源的価値 worth を抱きしめる自分と、女衒パンダラスに強いられて変動する市場価値 value で複数の人手に渡って弄ばれる不実な unkind もう一人の自分――の分裂と対立を意識している。クレシダの自己分析を現代的文脈で言い直せば、「分身《アバター》」の存在の自覚である。分けることの出来ない、統一体としての個人 individual の尊厳と主体性の確立は近代ルネサンスの人間観の中心であったが、近代の行きづまりともいえる現代にあって、新しい思想――個人は互いに葛藤し合ういくつかの分身《アバター》の集合体であり、複数の分身を持つことは不誠実の印ではない。むしろ時に応じて、違う分身を繰り出して現実に対応して生きることこそ現代を生きる有効策であるという考え方である。(6) シェイクスピアは四百年以上も前に、多様性《ダイバーシティー》ともいえる現代の分身《アバター》の思想をクレシダの台詞に与えているのである。

交換価値 value によって売買される娼婦生活を強いられながら、トロイラスへの揺るがぬ愛という本源的価値 worth を守ろうとするクレシダの誠意に比べると、口では永遠の愛を誓いながら、正式の婚姻ではなく父や兄には内密のかりそめ情事にクレシダを娼婦として使い捨てるトロイラスは言行不一致の不実者「声はライオン、することはウサギの化け物 monsters」(三、二、八五)である。「これまで俺ほど永久に変わらぬ心で愛した男はいない」(五、二、一六一:一七二―七三)と言う伝説化した自己イメージに固執するあまり、現実の己の不実に気づかぬトロイラスの悲喜劇的自己矛盾も普遍的な人間の一面として描かれている。シェイクスピアのリメイクによって伝説的な格言「忠実なトロイラスと不実なクレシダ」は逆転して、「不実なトロイラスと誠実なクレシダ」に変わったのである。

しかし guardian の保護なくして生きられない捕虜奴隷としてのクレシダはトロイラスの保護を捨て捕虜管理官ディオメデスに身を任せて「不実」のレッテルを張られるが、それはトロイラスへの真心という自己の真正の価値 worth を守るために、交換価値 value で取引される娼婦という自己の分身《アバター》を手放しただけの現実的な方策であった。

『トロイラス』は、問題劇の常として、オープンエンディングで、人物たちの将来像は読者の想像力に任されている。しかし、ディオメデスに捨てられたクレシダがヘンリソンの『クレセイドの遺言』のように、病気の乞食女に落ちぶれて再会したトロイラスの憐みを乞うなどの将来図は想像し難い。シェイクスピアのクレシダならディオメデスが去ればまた新しい guardian を見つけて生き延び、己の人生を全うするのではあるまいか。ペリクレスの愛妾アスパシアがそうしたように。

カマラリは、生き残りを賭けた選択は男にとっても女にとっても恰好のいいものではあり得ない。恥を晒して生きるより、気高く死ぬ方がドラマでは常に尊重される。しかし、クレシダは恥さらしで生きる道を選ぶことで、単純なヒロイン以上の存在になった。彼女は独自の存在 individual で、自主的に考え、周囲の女性たちにはない自分自身の力を見出してゆく初めての新しいヒロインになったと述べている。[7] シェイクスピアはクレシダの中に、自己理解の正確さとあきらめない力を併せ持つ新しいヒロインを見出し、己の分身《アバター》によって未来を開拓するその現実主義に、次世代への希望をつないだのではないだろうか。

あるいは、二十一世紀の今日、トロイラスとクレシダが再会したと想定すれば、クレシダは次のような独白を残したかもしれない。

「トロイラス、貴方はやっぱり結婚なさったのね。おめでとう！　昔は貴方が永遠の愛を誓いながら、結婚ではなく単なる浮気相手に私を利用したと恨んだけれど、振り返ってみれば、正妻になって婦人部屋に閉じ込められてストレス生活を送るより、ヘタイラとしていろいろな面白い経験ができてよかったと思っている、今、どうしているかって？ディオメデスとは別れたけれど、私も自立しているからもうguardianは必要ないのよ。昔のヘタイラ仲間たちとシェアハウスで、楽しく共同生活しているわ。みんな歌や、踊りや楽器演奏のプロだから毎日舞台に出ている。私も得意の語学を生かして外国人通訳で忙しい。ヘタイラ時代の人脈が役立って結構国際親善に貢献しているわ。親のいない子供も三人みんなで育てているのよ。でも私はguardianに管理されて人生の選択肢を奪われる辛さをいやというほど味わったから、子供たちには自立して自由に生きる力をつけて貰いたいと一生懸命に教育している。私達の共同生活は、文字通り体を張って女性差別の時代を生き抜いて血縁より強い絆で結ばれた仲間たちとの最高の仲良し家族なのよ。老後も助け合って生活して、同じお墓に入ってあの世でもまた楽しく暮らそうねと話しあっているわ。老後といえば父親のカルカスも叔父のパンダラスも年老いて弱ってきたから面倒はみるつもりよ。どんなに威張りくさった男性でも老いればよれよれだからね。娘を売り飛ばして娼婦にしたひどい親たちだと随分恨んだけれど、彼らの時代にはそれが普通だったのね。各国の家父長制と娼婦の歴史を調べれば世界の権力構造の推移という人類史の本質が見えてくるわ。中国やインドやエジプトの娼婦の歴史はこれから私も調べたいと思っている。でも性の快楽をカネで買われる娼婦は、打算なしの男の純情にはほだされる。私にとっても、あなたと結ばれた最初の夜のあの「純粋で、充ち溢れて、完全無欠な」fine, full, perfect（四、四、三）愛の高揚感は生涯忘れられない心の宝ですもの。初めて知った男の本当の愛に殉じてお初（曽根崎心中）、梅川（冥途の飛脚）、おさん（近松物語）、ヴィオレッタ（椿姫）などのヒロインは身を捨てて死んでいくでしょう？　その気高い自己犠牲の死に紅涙をしぼるのが名作ドラマの定石だけど、私はそんな悲しい死に方は繰り返したくない。江戸時代の遊女の平均寿命が二十二才だったなんて聞くと、彼女たちの無念を晴らすためにも、人生百年の今をとことん生きてやろうという気になる。あなたのことは今も好きだけど、そのために死のうとは思わないし、あなたの家庭を壊そうとも思わない。これでお別れだけど、二度とお会いすることはないでしょう。私は私の道をゆきます。不安はあるけれど「不安は盲目でも、目明きの理性に手を引いて貰えば、安全な道は見つかります」（三、二、六八－六九）と信じているから大丈夫。それに信頼できる仲間たちがいるからね。私達の共同生活は女同士が助け合って、どんなにクリエイティヴに生きてゆけるかを証明する實験場ね。私達は最後の一秒迄自分たちの人生を大事に生き切って、ありがとう、楽しかったわと言って、次世代にバトンを渡すつもりなの。そうすれば「不実のクレシダ」伝説は「トロイラスにも自分にも誠意を尽くして生きたクレシダ」と書き替えられるでしょう」。

ハムレットが「芝居の目的は今も昔も、自然に鏡を掲げて…時代の本質を示すこと」(『ハムレット』三―二、二一―二五)と言うように、劇に描かれる道徳律や格言は時代と共にその意味内容が変化する。紀元前五世紀のアテネの超男性優位社会から中世イギリスの家父長制社会までを保証する男性の優秀性と女性の劣勢性を定義する格言「忠実なトロイラスと不実なクレシダ」伝説は、十七世紀初期近代のイギリスの個人主義社会では通用しなくなり、シェイクスピアは「言行不一致の不実なトロイラスと忠実であろうとしてあえて不実を選ぶクレシダ」と書き変えた。

厳しい家父長制下、一生guardianの後見なしに生きられないクレシダは、トロイラスへの変わらぬ愛という自らの本源的価値worthを守るため市場の交換価値valueで取引される娼婦としての自己の分身《アバター》を捕虜管理者ディオメデスに売り、不実の汚名を着せられながらしたたかに生き延びてゆく。社会や他人の物差しに侵食されて己の価値を見失うことなく一回限りの己が生を無上のものとして抱きしめるクレシダはやるせなく、もどかしく、ゆえに愛おしい近代初期の新しいヒロインである。

そしてシェイクスピアからバトンを受けとった二十一世紀の私は、定年後の自由な想像力で、血縁によらず女性同士の助け合いで個々の個性と才能を存分に発揮して人生を楽しもうとするクレシダと仲間たちの共同生活を空想する。さらに本書の執筆陣のお一人お一人が、ゆたかな読書と人生体験をふまえてトロイラスとクレシダの未来図としてどのような物語を想像されるか伺ってみたい気がする。紡ぎ出されるに違いない目くるめく多彩な物語群の中に若い読者たちが自らの未来の無限の可能性と選択の自由、そして最初の一歩を踏み出すための力強い声援を見出して下されば、本書の企画に参加した一同にとってこれ以上の喜びはない。

注

Text: *Troilus and Cressida*, Revised Edition, Edted by David Bevington, The Arden Shakespeare, Bloosbury, 2015

The Complete Works of Shakespeare, A New Edition, edited with an Introduction and Glossary by Peter Alexander, Collins, London and Glasgow, 1951

（1）*The Testament of Cresseid* by Robert Henryson (1593 edition) in Geoffrey Bullough ed., *Narrative and Dramatic Sources of Shakespeare*, vol.vi, Routledge & Kegan Paul, London and New York, 1975, pp.215-19

（2）J．J．バッハオーフェン著、岡道男，河上倫逸監訳『母権論—古代世界の女性支配に関する研究—その宗教的および法的本質』みすず書房、一九九一年、三三五−四〇頁

（3）桜井万里子著『古代ギリシアの女たち—アテナイの現実と夢』中公新書、一九九二年、一一−八、四一−八一、一六五−一八六頁

永竹由幸『オペラになった高級娼婦—椿姫とは誰か』水曜社、二〇一二年、五一−五七頁

（4）Vivian Thomas, *The Moral Universe of Shakespeare's Problem Plays*, Routledge, London and New York, 1991, p.135

（5）Anna Kamaralli, "Putting on the Destined Livery:Isabella, Cressida, and our Virgin /

Whore Obsession in *A Feminist Companion To Shakespeare*, Second Edition, Edited by Dympna Callaghan, Willey Blackwell, 2016, p.403

（6）平野啓一郎著『私とは何か――「個人」から「分人」へ』、講談社現代新書、二〇一二年

（7）Anna Kamaralli, p.406

[研究者としての自叙伝——その後の学び]

住江淳司

1956年（昭和31年）和歌山に生まれる。
1979年（昭和54年）京都外国語大学外国語学部ブラジル・ポルトガル語学科（文学士）
1982年（昭和57年）京都外国語大学大学院外国語学研究科ブラジル・ポルトガル語学（文学修士）
2013年（平成25年）筑波大学大学院博士課程人文社会科学研究科歴史・人類学専攻（文学博士）

［主著］

『沖縄／日本の文化・社会・共同体と国際環境』共著：［沖縄タイムス社 2017］
『カヌードスの乱——19世紀ブラジルにおける宗教共同体』［春風社 2017］

和歌の浦　片男波全景

一「竜尾となるより鶏頭となれ」

将来の進路を決めることになったのは、高校2年の夏であった。当時通っていた和歌山県立星林高校で長く歌われてきた校歌の3番には、「風なぎわたる和歌の浦」とある。また山部赤人が万葉集で「若の浦［和歌の浦］に　潮満ち来れば　潟《かた》を［片男］なみ　葦辺をさして鶴《たづ》鳴き渡る」と詠んでいる。その風光明媚な「和歌の浦」が、高校の近くにある。

進路指導をしてくれた二年時の担任は化学の先生であったが、「椿姫」などのオペラをこよなく愛し、理数系・文系の両方のバランス感覚があった。そして「将来、大学を卒業して和歌山に帰住するなら、安定した職業となるのは「学校の教員」、「銀行マン」それに「公務員」の3つぐらいかなと、アドバイスをしてくれた。日本は、島国で食料自給率が低い上に、石油などの地下資源も少ない。二一世紀の日本が生き残っていくには、地下資源と食料が豊富な地域との交流が、不可欠であると助言してくれた。それには、外国のことを勉強し、お互いの言語や文化を身につけることが肝要である。リンガフランカ（共通語）を操ることができるようになることである。

世界共通語は英語かもしれないが、担任曰く、英語だったら君よりもできる人はいくらでもこの世の中にはいる。それよりも特殊な外国語、たとえば世界中で日系人が一番多くいるのはブラジルで、約190万人住んでいて、そのうちの1割の19万人が沖縄系であり、加えて台風、地震などの自然災害もないブラジルの公用語ポルトガル語を学ぶことにしたらどうかと勧められた。つまり、竜尾（英語）となるより鶏頭（ポルトガル語）となれである。

二　京都外国語大学入学から語学留学（私費留学：2回生終了後1年間）へ
天の時、地の利、人の和

2.1　そこでポルトガル語学科のある大学を探してみると、当時関西地区では京都外国語大学にしかそれがなく、迷うことなくそこに進学を決めた。入学してすぐの印象に残っている授業は、ポルトガル政府から派遣されてきたジョルジュ・ディアス教授とその奥様のエレーナ・ディアス先生の授業であった。両人とも授業では一切日本語を話さなかったこと、毎回配布されるプリントの内容があまりにも専門的であったことからである。加えて、学科の先輩からの話によると、2クラスあるポルトガル語学科で、卒業できるのは半数ぐらいだという。これは大変だなと思い、語学力を身につけるには、留学しかないと考えた。それで、両親に思い切って語学留学を1年間させて欲しいと頼み込んだ。両親には反対されるかと思っていたが、「本当に留学したいのなら、頑張っていってきなさい」という頼もしい言葉が返ってきた。まさに、「天の時」であった。

2.2　次に問題だったのは、下宿のことである。当時住んでいた下宿は、京都嵐山から松尾大社にかけての界隈を足が棒になるまで探し回り、世の中の喧騒から離れ、ようやく見つけたとても気に入っていた下宿であった。また、私の部屋は他の下宿人の部屋から離れたところに位置し、2階から田園風景が一望できる快適な場所にあった。1年間の留学を終えて帰国し、また新しい住処を探すとなると、大変な労力がいるのは明白である。加えて、あの時あった荷物を実家の和歌山へ送り返すか、どこかの倉庫に預けるかにしてもそれ相応の出費がかかる。しかしながら、1年間の部屋代の一部を払うだけで、留学中の下宿の部屋は、そのままほかの人に貸さずにしておいてくれると大家さんが言ってくれた。これは「地の利」といえよう。

本格的に留学の準備をしだすと、2名の先輩が、語学留学ですでにブラジルへ行っているということがわかってきた。加えて同じ大学の大学院の先輩が、リオ・デ・ジャネイロにある学術交流協定大学に留学しているという情報が入った。その大学院の先輩方に外大で親しくしてもらっている先生から連絡をとってもらい、留学の準備を整えた。語学留学に行った先輩のうちの一人には、マリア・テレーザという彼女がリオにいた。母親と二人で住んでいた彼女のマンションの一室が空いていたので、その部屋を彼女に紹介してもらい、しばらくの間、そこに下宿させてもらった。

語学留学は私費留学であり、京都外国語大学と学術交流協定を締結しているフルミネンセ連邦大学への留学は、当時の文部省から支給された奨学金をもらっての留学である。私は、その両方ともの留学を経験したことになった。そして、もしこの4名の先輩方の情報がなければ、私費であれ国費であれ、今と違ってブラジルへの留学は過酷であったといっても過言ではない。4名の先輩方からの情報提供は、見知らぬ土地に赴いた私にとって「人の和」を感じた瞬間であった。

従って、天の時、地の利、人の和がそろってブラジルへの留学が可能となったのである。

三　語学留学から帰国、そして大学院修士課程へ　堀江節郎神父。

1年間のリオ・デ・ジャネイロにおける語学留学での目標は、自分の述べたいことをポルトガル語で相手に正確に伝えられるようになることと、現地の新聞を辞書なしで読める力を付けることであった。それには、文法力が不可欠になる。

会話力向上のために試みたことは、リオ・デ・ジャネイロのコパカバーナ海岸地区にあった「外国人にポルトガル語を教える語学学校」への入学と、サンタ・テレーザの丘の上に

リオ・デ・ジャネイロのコルコバードの丘（写真：Artyominc）。
対岸の町は、フルミネンセ連邦大学があるニテロイ市。

ある「国際イエズス会宣教師養成センター」に入れたことである。このイエズス会のセンターは、世界中から集まってくる宣教師が、ポルトガル語とブラジル事情、それに神学について学ぶところである。そこはセンフィと呼ばれ、ＣＥＮＦＩ（Centro de Formação Internacional）と称されていた。同センターには紹介がないと入れないシステムとなっていた。ここで運命的なことが起こる。それは、リオについて3日たった時の邂逅であった。

あの頃、日本領事館はまだリオ市内のラランジェイラス地区にあり、外国人登録へ行った時が、丁度正午を数分過ぎたころで、領事館は昼食時のため閉まっていた。次に開くのは午後3時だというので、領事館の庭で時間を潰していた記憶がある。3時になり日本領事館の仕事が再開したので、入ってすぐ左側の長椅子に腰を掛けて順番を待っていた。すると、物静かな年の頃は40前後の方が、私に声をかけてきた。「日本から来られたかたですか」と。私は「はい、そうです。3日前に日本からきました」と答えた。その人は「何か困ったことがあれば、私のところに来なさい」といって名刺をくれた。この方は、イエズス会の神父さまで、堀江節郎と確かおっしゃったように記憶している。堀江神父さまは、1970（昭和45）年にペルーで刊行された有名な『解放の神学』の著者であるグチエーレスが起こした運動を実践されている方だった。その名刺が後で役に立った。堀江神父様は夜行バスでサンパウロからリオに来て、サンタ・テレーザの丘の上の「国際イエズス会宣教師養成センター」で、聖職者の方々の朝食時間を利用して住江が神学校に入れるよう頼んでくれたのだ。そしてとんぼ返りでサンパウロへ帰って行かれたのであった。神父様のお陰でセンターに入ることができ、三井物産の商社マンも学んでいた程の効率の良い教授法で、ポルトガル語を学ぶことができた。これもある種の「人の和」であろうか。

四　修士課程入学、国費留学から図書館員へ　「三種の神器」を求めて

このブラジルへの語学留学が、将来の方向性を決定づけた。この留学を機に、大学の研究者になろうと考えるようになったからである。そのためには、巷では〝三種の神器〟が必要であると言われていた。つまり、「学位」、「教育歴」、そして「単著」である。

修士課程を修了してからの研究者としての就職先は、日本ではポルトガル語が学べる6大学となる。創設順だと東京外国語大学が一番古く、その次に上智大学のポルトガル語学科、京都外国語大学、大阪外国語大学（現・大阪大学外国語学部）、天理大学国際学部、神田外語大学と続く。しかしながら、これらの大学にはすでにそれぞれの大学・大学院の修了生が就職していて、飽和状態になっていた。そこで、ポルトガル語学というよりブラジルの地域研究という方向性を考えてみた。それでも就職口がなく、だからといって一般企業に入社してしまえば、研究者の道から離れてしまうと思った。それでポルトガル語という語学から離れない就職先がないものかと考えて探したところ、母校の付属図書館の整理係に就職することができた。

この仕事は、ポルトガル語の新刊書を読んで、その内容からデューイの10進分類表を使っ

て分類番号をつけるというものである。その仕事のお陰で、朝から晩までポルトガル語の文献を、勤務した12年間で約2千冊以上は読めた。また、京都外国語大学の図書館には日本の大学図書館の中でも一位二位を争うほどの素晴らしい稀覯書室があり、特に15世紀から16世紀の大航海時代の文献を読み、その解説を書きあげ上梓する仕事をさせてもらったのが思い出深い。

いつものように未整理の書籍の棚を整頓していた時、後に博士論文のテーマとなる「カヌードス」という地名のついた内乱に関する文献目録が、私の目の中に入ってきた。書架の片隅に、他の本とは違う厚くて装丁のしっかりした白い書籍が、あたかも私に見つけて読んで欲しいと言わんばかりに置いてあったのだ。思わずその本を手に取ってみると、カヌードスの内乱に関する一次資料のリストが記載され、一つひとつの史料ごとにその内容が数行で解説された文献目録ではないか。これまでのブラジルの戦史の中で、最後の1人まで戦って死んでしまったというほどの内乱は、カヌードスの乱の他に類をみない。ブラジルの文筆家エウクリーデス・ダ・クーニャの作品『オス・セルトンエス』で、クーニャもこの乱を「あらゆる戦史の中でも、唯一の特異例」とよんでいる。

この点に惹かれ、その理由を解明したくてカヌードス研究を志そうと考えていた矢先に、カヌードスに関する歴史的評価を結集した書と出会ったのだ。これほどまでに、カヌードスの内乱についての資料が、一次資料から二次資料それに新聞などに至るまで体系的にまとめられている史料はみたことがなかった。この一冊の本との出会いが、カヌードス研究の始まりであった。

図書館に勤務しながら、ポルトガル語の授業も担当させてもらうことができたので、後から考えると〝三種の神器〟の内の「教育歴」を満たすことができていたことになる。加えて、ほとんど毎日夕食後の2時間と週末の土日は、自宅の書斎に籠って研究論文の執筆に時間を充てた。そのかいがあってか、名桜大学が開学する前に文科省の教員審査が行われたが、その時まで執筆していた分野の異なる査読付きの論文を数本書いていたことが幸いした。それらの論文が、「中南米の歴史」、「中南米の社会」、「外書購読」、「中南米の民俗」それに「演習」（論文作成のためのゼミに相当する）、「現地実習」などの担当科目に該当することになった。「マル合」、「合」、「可」の評価のうち科目担当の意味の「可」をもらった。また、現地実習は当時の日本ではまだ珍しく、ましてや、中南米の国々との学術交流は非常に少なかった。名桜大学が開学から現地実習を開講できたのは、文部省高等教育局長から名桜大学へ通知した4つの「留意事項」の3番目に、「現地実習については、計画通り実施すること」とあったためで、必修科目という位置づけになったのである。日本国内の数多くの大学において、語学研修・文化研修を主体としたプログラムは提供されている。だが現地実習は、そうした初学者を対象とした語学研修や体験学習とは異なり、海外の協定大学での専門的な講義や交流を含む実践的な地域研究の学びがその柱となっている。私が「現地実習」の担当に選ばれた理由は、二度にわたるブラジル留学経験であったことは想像に難くない。

五　帰国から修士課程へ進学、その後国費留学への道　アドリアーノ・ダ・ガマ・クーリ

語学留学から帰国し、それまでの人生の価値観が真逆になっていった。その時までは興味も示さなかった、美術館での絵画などの展示会へ進んで出かけるようになっていった。つまり、学問への探究心の面白さを知ったのである。それで将来の方向性として研究者になることを決めて、修士課程に進学することにした。

語学留学から帰国して、日常会話には不自由しなくなっていた。外務省の外郭団体である国際交流基金の支部が京都烏丸にあり、そこへ招聘されたブラジル関係のＶＩＰで、ブ

フルミネンセ連邦（日本の国立にあたる）大学文学部とその建物の前に設置されているポルトガルの詩人ルイス・デ・カモンエスの銅像（著者撮影）

ラジル国立書籍院の総裁だったエルベルト・サーレス氏の通訳を務めた。その通訳アルバイトを教務部長から数回推薦してもらったお陰で、ポルトガル語の会話をブラッシュアップすることができてよかった。

修士課程を1年終えて、文科省の奨学金をもらいながらリオにあるフルミネンセ連邦大学文学部へ留学することが決まった。この国費留学の目標は、修士論文をブラジルで書き上げてくることであった。しかしながら、現地に赴いてフルミネンセ連邦大学文学部の学科長に指導教官を依頼したところ、運悪くほとんどの教員が博士論文を執筆中で、地球の裏側からきた若者の面倒をみてくれる時間などない教員ばかりであった。

途方にくれたが、「捨てる神あれば拾う神あり」という諺の通り、たまたま授業が始まる前で時間が余っている状況で、下宿していたアパートに隣接した建物が「フイ・バルボーザ財団」であったことが幸いした。それはフルミネンセ連邦大学で授業が始まる前に、その財団の図書室で研究をしていた時のことである。この図書室の司書の方と話しをしていた時、修士論文の指導をしてくれる教員がいないのだと、藁にもすがる思いで相談を持ち掛けた。司書の一人に修士論文の内容が、ポルトガル語学の再帰代名詞seについてだと説明すると、この財団の下の階に文献学セクションがあり、そこで文献学者アドリアーノ・ダ・ガマ・クーリ博士が主任をしているので、相談してみたらどうかとアドバイスをくれた。

早速、クーリ先生に会いにいくことにした。クーリ先生の名前は日本にいる頃から、図書館のポルトガル語の書籍の中に数冊彼の著書があって知っていた。今でも覚えているが、パイプに火をつけて本を静かに読んでいた。初対面であったが、「先生のお名前は日本にいるときから知っていてお会いできて光栄です」と自己紹介をした。そして、留学の目的は修士論文の作成であるが、今のところ誰にも担当してもらえないということも説明した。すると、クーリ先生は、「自分は元フルミネンセ連邦大学の教員であったので、学科長のエヴェリン教授と話してきてあげる」と言ってくれた。

その結果、やはり修士論文を指導する教員は、今のところいないということであった。ところが、自分ならば土曜日の午前中なら時間があるので、指導してあげると言ってくれたのである。それから、毎週土曜日の朝9時から12時まで先生の自宅のマンションで修士論文の指導が始まった。クーリ先生はすぐれた研究者で、ブラジルの高等教育機関によって、博士号取得者のみが参加できる「公開コンテスト」（ＬＤ）を通じて授与される称号リブレ・ドッセンシア（Livre-docência:LD）という当時ブラジルで5人しかもっていない学位を所有する学者であった。日本語訳ではハビリテーションコンテストという。ハビリテーションは、学者が達成できる最高の称号で、博士号取得者のみを対象としている。一部の機関では、正教授への立候補の要件として必須のタイトルである。この論文指導を終え、時には一泊泊まらせてもらうこともあった。

こうして1年後に完成した修士論文は、京都外国語大学とフルミネンセ連邦大学の両大学に提出し、各大学の図書館に保管されている。

六．博士号への道　ジョセフ・ルイテン→中川文雄→山田睦男→立川孝一

修士号を取ってから周りを見渡してみて、大学院で博士号を取得しなければ、専任の大学教授へは辿りつけないと考えた。また、専任の大学教員になるには、40歳までというジンクスもある。まず、著書よりも論文を量産し、それも査読付きの論文を書くことを心がけた。これは京都外大の教職員テニスクラブに所属していた図書館学の教授で、沖縄出身の大城善盛《おおしろぜんせい》先生から教えてもらったことである。

次にジョセフ・ルイテン先生である。彼は、当時大阪の万博記念公園にある国立民族学博物館で研究者として勤務していた。彼と親しくなり、リテラトゥーラ・デ・コルデル（つるし本文学）の研究を行った。毎週1回の割合で、京都から大阪千里にある彼の研究室へ通い、論文をポルトガル語で書き上げた。その後、彼は筑波大学へ転勤することとなり、その機会に筑波の彼の研究室を訪問し、これからの研究について相談することにした。すると、ブラジル研究で有名な中川文雄先生と山田睦男先生を紹介してくれた。その時山田先生は、「博論を書くには現地ブラジルへ何回も通わなければならないな」と言われ、「一次資料がなければ、学位は与えられない」ともおっしゃった。

当時の京都外国語大学は今とは違い、勤務する職員が学位を取るために他大学に通うには、職場を辞めなければならなかった。図書館職員（司書）という安定した収入、結婚、子育て、それに将来に考えられる介護などのライフステージや自分の生計のことを考えると、京都外大をやめずに、研究生として筑波大学に通うことがベストであることがわかった。

中川文雄先生は1年だけの指導教官でおわって、その代わり広島大学から筑波に来られたばかりの立川孝一先生を指導教官として紹介してくれた。後に筑波大学で博士論文の主査となり、学位を与えてくれることになったのがこの立川孝一先生である。先生の専門はフランス革命史であるが、民衆の宗教的心性にも関心をもたれていたので、地域こそ違えど、問題関心においても研究方法においても私と共通するものがあった。１９８０年あたりから、日本では歴史学におけるフランスへの関心が高まり、民衆運動を政治・経済の側面だけでなく、文化あるいは心性といった視点からとらえ直す歴史人類学＝社会史がひろまりつつあったからである。

そこで、立川孝一先生との本格的な授業が始まった。そうは言っても立川先生からは論文の指導だけで、博士課程の授業では歴史理論を主軸に単位を取得した。その上で博士論文を執筆してよいとされる条件は、査読付きの論文を全国誌に提出し、2回承認されることであった。この条件を満たしてようやく、博論の執筆にとりかかることができるのである。

ある時立川先生は、広島大学の教授が送ってきた論文を私に見せてくれた。それは、広島大学の教授が論文博士として筑波大学で博士号を取得するために、立川先生に見てもらおうと送ってきたものであった。先生はそれをポンと机の上に投げて、「急に審査要求されても、誰もよまないよ」と言われた。それを聞いて、血の気がサァーと引いたのを今でも覚えている。しかしながら、その後もカヌードスの研究を進めた私は、2013年、筑波大学から博士号を取得した。

2021年3月31日で65歳となり、公立大学法人名桜大学を退職した。しかし、博士課程後期の開学の審査を文科省で受け、マル合の評価をもらっていたので、2021年4月1日から博士課程の特任教授として採用された。今は週に2回出勤して、博士課程の会議と、博士課程のゼミ生に対する論文指導を行っている。

現在の私は、カヌードス研究で依然として未開拓のままになっている軍関係の史料およびカヌードスの謎（名もなき兵士や農民の声）など、やり残したテーマや「人の移動」の研究などに携わっている。

ポルトガル語の学習で始まった学びの延長線上に、今日の知の探究がある。

僕の人生に学恩を与えてくれた3名は、堀江節郎神父、アドリアーノ・ダ・ガマ・クーリ先生、それに何と言っても立川孝一先生である。

［来世の形而上学的な意味］

福田喜一郎

一九五五年、東京生まれ。

一九七八年、上智大学文学部哲学科卒業。

一九八〇年、京都大学大学院文学研究科修士課程（西洋哲学史）修了。

一九八三年以降、堀越高校教諭、穎明館中学高等学校教諭を経て、一九八九年、鎌倉女子大学専任講師となる。その後、助教授を経て教授となり、二〇二一年退職。

［主著］

『カント認識論の再構築』共訳：［晃洋書房 1992］
『静かさとは何か』共著：［第三書館 1996］
『日本カント研究』No. 1, No. 16 その他　共著：［理想社 2000～］
『カント全集』No. 3, No. 14　共訳：［岩波書店 2001年、2000］
『着飾らない辞世の言葉』［幻冬舎ルネッサンス新書 2018］
『Johann Georg Heinrich Feder (1740-1821)』共著：［De Gruyter社 2018］
『カントとシュンカタテシス論』［春風社 2020］他

1　研究の目的

私の目下の研究は、私が生きている「経験」の世界がどのような構造になっているのかという理論的な問題を踏まえて、私にとって来世（afterlife）を信じることがいかなる意義を有しているか探究することである。これは、いかにして来世の存在を知りうるのかという認識論的問題ではなく、来世の存在を信じることがいかなる形而上学的意味を有しているのかという問題である。

学生時代からの私の専門は西洋哲学である。研究テーマはカント哲学に関わる問題が中心で、これまで「必然性様相」、「啓蒙思想」、「信念・信仰」を経て、大学の定年退職後は特に「来世」の問題を、カント哲学を中心にして、現代の英米系の哲学研究者の論文を通して考えている。

いかなる問題をおのれの哲学的課題とするかは、研究者によって実にさまざま。ただし、哲学は思想とは同じでないと言っておきたい。思想は各自が自由に抱きうるものであるが、哲学においては自らの正当性を論証的に提示しなくてはならない。

とはいえ、とても興味深いことがある。たとえばデカルトの「永遠真理創造説」についての研究がなされていたとしよう。その研究はデカルト哲学理解にはきわめて意義があるとはいえ、その説そのものの正当性が研究発表の学会において論駁されたとしよう。それでもその発表者はその研究を続けてゆく。論駁されても捨て去れえないほど、その人の感受性に適合しているからだ。しかも他のデカルト研究者によって評価され続けるだろう。これは厳密な論証が求められる哲学にはふさわしくないが、研究者というものはそういうものである。どんな欠陥を含んでいようと、哲学史に登場する理論ならば、一定の事象を説明するのにきわめて有効な力をもっているからである。

では、私自身の場合はどうであろうか。自分の感受性に適合しているだけでなく、やはりいかなる批判にも耐えられる理論を構築したいと思っている。私の形而上学的問題に対する最大の敵は、人間は「無益な受難」（サルトル）と確信している人たちである。この圧倒的に支持を得ている確信に対して、来世信仰の形而上学的意味を防御したい。

2　留学経験と生涯学習

大学に専任教員として就職してから23年間は、教務部に配属になり朝から夕方まで毎日教務事務の仕事に専念した。あの頃は18歳人口減で大学の志願者が減少しつつあり、大学改革のためには研究・教育以外の仕事は不可避だった。この23年間は週末にしか読書できず、ほとんど教員という意識をもてなかったが、専任教員であるかぎり翌年の身過ぎ世過ぎの心配は不要であった。とはいえ、たとえばマックス・ヴェーバーの『職業としての学問』を読んでも、彼が提示する問題を真剣に考える余裕はまったくなく、ただ生きるためにだけ生きていた。

２０１１年度に大学の制度を利用して、客員研究員としてマールブルク大学に留学させてもらった。留学先は自分で独自に捜したのだが、実に簡単に決まってしまった。ドイツの大学教員には、紹介なくしてだれでも直接メールなどで問い合わせてよいことになっている。そこで私は、マールブルク大学の哲学研究所の教授に、それほど長くもないメールを送信したら、数日で受け入れの返信があり、受け入れ証明書のＰＤＦのデータも送信してもらった。

ドイツの大学人は、助手だろうと教授だろうとお互いに（研究上の）「わが同僚」と呼び合うことがある。私はすでにそのとき56歳になっていたとはいえ、圧倒的な研究業績を残しているドイツ人教授からそう言われると、私としては「文芸共和国（respublica literaria)」の同じ一員になったようでありがたく思った。

日本にいたときは、海外で研究発表をし、外国語で論文を書くなどということは夢にも思わなかったが、このときその機会が与えられた。１年間のドイツ滞在中に、マールブルクとトリーアで各1回ずつ研究口頭発表をした。その後帰国してからさらに、グラーツ大学のイタリア人研究者（現在、ウィーン大学）から誘いがあり、３度目の海外での研究発表を経験することになった。

ドイツ滞在中に、やはり論文はドイツ語で書きたいと思い、２つの論文を書いて小冊子にした。その後２０１６年に少し長めのカント研究論文を書き、右記のイタリア人研究者を通して、ドイツのある学術機関に送ってもらった。そうしたら思いがけず採用となり、２０１８年にドイツの学術図書専門の De Gruyter 社から出版することができ、これは望外の幸いであった。

外国での口頭発表といい、欧文で論文を書くことといい、そういう志は若いときからもつべきだったのだ。そうすれば自分の人生はかなり違ったものになったかもしれない。私の人生で決定的に欠けていたのは、リスクを伴ったチャレンジをすることだった。この後悔は現在の残りの人生にとってよい教訓になっている。

ただし、ここで付言すべきことがある。外国の研究者と交流するのは重要だが、なかなか彼らと対等にやりとりができる語学能力は身につかない。私の場合は、ドイツ語の口頭発表の原稿を作成し、ドイツ語で論文を書くのには、相当の時間を要した。知り合いのドイツ人（化学博士）に頼んで、一緒に一文一文検討した。しかし、もしこんなことをし続けたら、膨大な時間が必要であり、結果として非生産的になってしまう。私の場合は、読書にしても日本語を通して学んだことの方が多いからだ。

大学では教育学部に属していたので、哲学の授業を履修する学生の多くは、社会科の教員免許取得が目的であった。ところがたまに哲学を純粋に勉強したいという学生が少数いた。そういう学生だけが、大学という人文学のサンクチュアリーにおける価値ある存在だ。彼（女）らがいると授業の準備の意欲が湧く。

定年後は、鎌倉市の生涯学習ガイドブックをとおして受講生を募集して、カントの『純粋理性批判』の演習を毎月2回行っている。参加者は25歳から82歳の方の10名であり、みなさんとても熱心。日本で『純粋理性批判』の講読を実施している大学はいくつあるだろうか。旧帝大や伝統のある私立大学の文学部でも、それほど多くはないであろう。僥倖の恵みと言わざるをえないこの機会は、人生の教育活動でもっとも価値があるものとなった。とにかく準備がとても楽しい。そして、冬にはマイナス10度以下になるケーニヒスベルクの暗い街で、哲学史屈指の哲学者が悪戦苦闘して著したドキュメントを、遠く離れた日本の小さな街で共有している、などと思いながらやっている。

3　来世信仰の哲学的考察

正直に言えば、私の哲学研究を推進する力は、いかに人生を生きるべきかを考えることだけではなく、研究者として世に認められたいという（それほど大きなものではないが）野心であった。だから純粋な探究心ではなかった。

学問としては自然だが、哲学としては不純なこの気持ちは、年齢とともに変化してゆく。今や、世に認められたいという気持ちは減退し（むしろ断念し）、正確には、その見込みが薄くなり、この頃は純粋な気持ちで哲学書を読むようになった。これは、精神が肉体的なものから少しずつ脱却してゆくプロセスとして、プラトンが語っていた哲学のあり方に似ているかもしれない。

研究対象のカントは神の存在と来世とを信じている。彼の批判哲学はその擁護にもなっている。彼の「信仰に余地を与えるために知識を制限した」という言葉はそれをよく示している。またそれだけではなく、その倫理学は必然的に宗教論に至るものであった。彼の宗教論は、現世においては悪の償いを果たせないだけでなく、理性は人間の道徳的完成を実現するためにも、来世において無限に努力する希望が許される、と説いている。

　来世と言えば、私たちは地獄か極楽を連想するかもしれない。仏教では、悪い人間でも仏の大きな慈悲で極楽へと往生できる可能性が説かれている。だから、カントの来世観は著しくそれと異なっている。複数の研究者が、それはルターの「同時に義にして罪人（Simul Justus et Peccator）」の考えに近いと述べている。

　実は、カントの倫理学における「善意志」概念は、ほとんど実現不可能な理念であり、人間は悪への性癖をもっているという思想を導いている。彼は何が悪い行為かではなく、どのような格率（生きてゆく上での信条）にしたがって行為したかに道徳的判定のよりどころがあると説く。その際に彼は、私たちが通常問題視しないような事例ばかりを提示している。たとえば、正しい値札で商売を営んでいても、それが単に商人としての信頼を得るという利己的な格率に基づいているなら、法的には問題ないが、人間としては悪への性癖を有した人だと判定されてしまう。カントは、こんな事例の中に人間の「根源悪」の一端を見ぬこうとしている。正しい行為も、正しい格率に基づくのではなく、それを実現するための隠れた別の悪い格率が心の根底にあって、最終的にそのこと（正しい行為）によって自分が得するようにしむけているならば、その人間の心は腐っているということだ。

実際には、純粋な善意志の実現は途方もなく困難である。だから人間はいつまでも罪（神への借金）を返済できない（ドイツ語のSchuldは「罪」と「借金」の両方の意味をもつ）。長い人生の中で犯したかずかずの借金は、人生の最後期になって深く後悔しても完済困難である。完済のためには来世でも道徳的な完成をめざして努力しなくてはならない。だから、この努力は幸福とは無縁である。にも関わらずその努力を希望できる、というのがわずかな救いになる。

この来世についての信仰は、私が老年期を生きるための決定的な精神的支えである。『死の拒絶』（今防人訳）の著者アーネスト・ベッカーは、死は人間活動の推進力であり、「死を予想すると不思議なほど精神が集中する」と述べている。人間は死すべきものであるがこれを拒絶するために、精神は生涯をかけた観念もしくは象徴を抱きしめて生きてゆきたくなる。これに賛同する私は、「人生には価値がないが、自分はこの人生を選んだのだ」というような諦観的ニヒリズムには無縁のようだ。自分が生死をかけた観念もしくは象徴が死によって無化されると覚悟しながら、敢然と生きてゆくことは、少なくとも私にはできそうにない。したがって、自分の精神的営みは永続できるという希望が、言いかえれば、その営みは現世において無益な未完にとどまるのではなく、来世で不安におののきながらも、いつか完結できるかもしれないという希望が、死の観念を超えて生きる力を与えてくれて、あえて過酷な老後を送ろうという心持ちになる。

したがって来世という形而上学的存在は、生の意義、正義と不正、恩讐の、「最終決定権（the last word）」（ウィリアム・ハスカーの言葉）は、現世に委ねられえないことを告げている。カントの来世思想もこの方向性に位置づけられるだろう。

これは哲学的にも根拠づけられて、いかなる風雪にも耐えられうる信念にしなくてはならない。それを遂行してゆくことは、もはや「職業としての哲学研究」という局面を脱却している。その意味で私は、アラン・ブルームが「大学教授のソクラテス」は想像できないと述べた事態に、少し近づいた。自分の名刺の名前の脇に特定の所属機関名ではなく「哲学研究（Seminar für Philosophie）」と書かれていることが、うれしく思われる。

4　新たに開けた「定年後の学問」

［一日の大半は午前中］

橋本和孝

1951年（昭和二六年）東京都生まれ。法政大学社会学部1973年（昭和四八年）卒。博士（社会学）。国民生活センター調査役補佐、福島大学行政社会学部助教授を経て関東学院大学文学部教授、2021年の定年時は関東学院大学社会学部教授。2021年秋、ホーチミン市国家大学人文社会科学大学日本学部非常勤講師。現在、関東学院大学名誉教授。専門は地域社会学、東南アジア社会学。

［主著］

『失われるシクロの下で――ベトナムの社会と歴史』［ハーベスト社 2017］
『コミュニティ事典』共編：［春風社 2017］
『グローバル化時代の海外日本人社会』共編：［御茶の水書房 2021］
『コミュニティ思想と社会理論』共編：［東信堂 2021］他

私の生活時間

研究者は「宵っ張りの朝寝坊」とよくいう。しかし、私の生活リズムは真逆の「超早寝早起き」なのである。40年以上早寝早起きを続けて来た。退職後はそれに超が付くようになった。午前3時に目が覚めて夜8時には眠くなる。

3時に起きて何をするか。パソコンを立ち上げメールとSNS（ソーシャル・ネットワーキング・サービス）をチェックし、愛飲しているベトナムコーヒーを飲む。

夜が明けてSNSの更新日課なり仕事のメールは閑古鳥が鳴く

SNSのmixiを、2000年代の中頃に始めて以来なのでキャリアは長い。Facebook、twitter、Instagramをチェックする。Instagramは写真が満載で面白いが、詐欺などの危険も日常的に潜んでおり、うんざりだ。私の場合、Facebookは基本ベトナム人との交流である。twitterは政治や社会面に関わること、何か自己主張したい場合や高校野球に関連する話題である。Instagramは、高校野球以外の趣味に関することや昔撮った写真の紹介である。

その後、おもむろに研究に取りかかる。2021年3月の退職後、6月にベトナム語からの監訳、チャン・トゥアン著『ベトナム南部——歴史・文化・伝統』（ビスタ ピー・エス）を上梓した。その後、8月に一種の自分史である『社会認識の伏流水』（私家版）を、2022年3月に『安藤昌益の歴史社会学的接近』（私家版）を刊行した。

この（2022年）夏は、家族同然に協力しあっている近所の知人の病が悪化して、その愛犬の世話もしてきた。日の出前後の涼しい時間の散歩である。朝の散歩は清々しい。愛犬のおかげで久しく乗らなかった自転車にも乗るようになった。猫は小学生の頃から何匹も飼ったけれども、犬はやはり小学生の時にすぐに死なせてから、飼ったことがなかった。初めて犬と猫の違いを実感した。

愛犬の顎白くなれども疾走す　我が身もいまだ　歩みを止めずに

我れ先にガツガツ食べる犬達と時間をかけ優美に食べる猫をみてあらためて得心す両者のさがを

朝食の前に、腹筋の運動をしながら『神奈川新聞』を読む。大学教員だった頃は、地域のニュースと高校野球の紙面に眼を光らせ、新聞の切り抜きもしたが、今は「読者のページ」と高校野球の地方大会の情報把握である。切り抜きは、後々意外と処分が面倒である。「読者のページ」は圧倒的に高齢者の投稿が掲載されている。働き盛りは紙の新聞を読まないだろうし、twitter に投稿した方が手っ取り早い。まあ神奈川県内の高校野球情報のために『神奈川新聞』をとっているようなものだ。夕方の散歩もあるが、朝食までの4時間、これにて日課はほぼ終わる。

午前中は、大体買い物と医者への通院、それから時々市立図書館通いである。午後は面白いミステリー番組の再放送があればテレビを観る。そうでなければ昼寝、韓流ドラマのDVD、読書である。夕食前に初歩のネット将棋をする。夕食が終わると自然と眠くなる。まあ晩酌の影響もあるが、一日置きのノンアルコール・ドリンクでも寝たくなる。晩酌といっても缶ビールと焼酎の水割りまたはお湯割である。（胃の調子が悪化してノンアル・ドリンクも缶ビールも秋以降中断した。代って日本酒と焼酎のお湯割だ）。夕飯の外食はほとんどしない。朝食は米飯で動物性のタンパク質を摂らない。お昼はパン食でフライ料理を好む。夕食は麺類が多く、ゴーヤ・チャンプルなども頻繁に食べる。

読書のこと

２０２１年以前は長い間、歌集を読まなかった。どうやら２００５年に歌集というわけでもないが篠弘『疾走する女性歌人』(集英社新書)を読んでいる。その前は１９９９年に読んだ俵万智の『かぜのてのひら』(河出文庫)まで遡る。いずれも娘に送ったのかもう手元にない。小説の方は10年間でわずか11冊しか読んでいない。小説は研究の一部の場合もあるので、単純な娯楽ではない。それが、最近ＳＮＳの余興で文学紹介を始めたら、かなりの歌集や小説を読むことになった。まあ社会学の講義をしても仕事の延長のようで、面白くないこともある。なんと今年(２０２２年9月末まで)だけで17冊も歌集を読んだ。そのうち古書ではあるが購入したのが3冊ある。

中でも1冊は栃木県の足利市を舞台にしていたので、実際行ってみた。渡良瀬橋には渡らず足利学校には入らなかったものの、織姫神社に参拝し眼下に足利の街を一望にできた。その他の14冊の歌集は、近所の市立図書館、政令指定都市なのに専門書は買わないと豪語するような驚くべき図書館から借りたものである(図書館同士の相互貸借も含む)。関東学院大学までは、あまりに遠く、行くのは簡単ではない。

研究について

退職後の関心について語る前に、蔵書について述べておきたい。大多数の本は手元になく処分した。残っているものは、社会学の研究書、都市や地域社会学の専門書、ベトナム関連書籍である。

ベトナムの統計書は、東南アジアの研究を行っている機関やベトナム語の教育機関に寄贈した。増えたのは中古で購入した安藤昌益の全集や研究書だ。それでも開封してないダンボールは大小20を超え、マンションの大規模修理もあって一部屋が物置状態である。〈本の不経済学〉とはよく言ったものである。この（2022年）秋に、1981年（昭和五六年）から89年（平成元年）にかけて分担した埼玉県大井町史（現ふじみ野市）の細部を知る必要があった。しかし、定年退職時にすべて処分した。退職前であれば調査資料が保管されていたのであり、残念でならない。「後の祭り」そのものである。

近年の関心は、安藤昌益の歴史社会学的研究である。そもそも安藤昌益については、大学生の時、友人の平野良一君が岩波文庫の『統道真伝』を小生に見せて、この本はとても良い本だと言っていたことがある。実際E・H・ノーマンの名著『忘れられた思想家』上・

下（岩波新書）を既に大学3年生の1971年（昭和四六年）10月に読み出している。平野君については『社会認識の伏流水』でちょっと書いた。

一部の図書館でしか閲覧不可能な拙著『安藤昌益の歴史社会学的接近』（私家版、2022年）に記したが、大学の授業では1990年に放送されたNHKのテレビ番組『歴史誕生』「元禄の世に革命思想あり――追跡・安藤昌益」のビデオを見せて来た。大学院の比較日本文化専攻の授業では、安永寿延『安藤昌益――研究国際化時代の新検証』（農文協、1992年）をテキストに取り上げたこともある。さらに拙著『ソーシャル・プランニング』（東信堂、1996年）で、既に昌益について言及した。2016年3月には八戸市十三日町の安藤昌益居宅跡を訪ねており、2020年10月には安藤昌益資料館を訪問した。

それでも安藤昌益について、研究しようとは思ってはいなかった。ベトナム訪問が、コロナ禍の下、2020年3月の60回で一度頓挫した。実はこの3月の訪問も本来『ベトナム南部』の翻訳のため確認したいことがあり、カンボジアとの国境の町、ハティンに行きたかったのである。しかし、予約した飛行機が飛ばず、止むを得ず高原の町、ダラットに出向いたという経緯がある。ベトナム研究には無論終わりはないものの、ホーチミン市11

区にあるChùa Giác Viênについて、日本では覚園寺として紹介されている。しかし、私が調べたところでは覺圓寺が正しい。これについて2023年2月に現地で確認することができた。これで課題が一つ解消された。

ところでベトナムでは、福沢諭吉はもちろんのこと、二宮尊徳は日本研究者達に知られているのに、安藤昌益についてほとんど研究されていないことを知った。それでまずベトナムにおける昌益研究、および『統道真伝』万国巻でのベトナムに関する訳注について、疑義を解明すべく研究を始めたのである。調べれば調べるほど「元禄の世に革命思想あり――追跡・安藤昌益」という表現は適切ではなく、「100年前のマルクス」論には議論の余地があることが分かってしまった。現在『安藤昌益』（仮題）を書き上げ、まもなく上梓する予定である。

因みに2021年11月に大館市二井田の温泉寺を訪れ「安藤昌益之墓」を参拝し、「石碑」についても観察した。さらに2022年4月には再度安藤昌益資料館や温泉寺を訪れ、鷹巣の宮野伊賢が開いた内館文庫跡がある綴子《つづれこ》神社を参拝した。昌益が二井田で生まれた後、医者になる以前、内館文庫で学んだかどうかも、未決の論点である。綴子のバス停から綴子川を渡って雪が残る綴子神社に登るのも一苦労であったが、神社を下り、道の駅「たかのす」を経て、鷹ノ巣駅までトボトボ歩くのも一苦労であった。

祖父のこと

思い出のなかの父親は玄関にたたずむ巨大な革靴なり

父親の記憶はない。次姉の逝去に伴って、20年近く会わなかったわが娘に、今年(2022年)に入って二度会った。最初誰なのかもわからなかった。文学少女ではなくて完全菜食主義(ヴィーガン)の自給用料理人になっていた。またわが息子はミャンマーで商売をしていたが、軍政へと政変後一時休業していたものの、その後再開した。

祖父、橋本忠夫については、2010年に上梓した『シンガポール・ストリート』(ハーベスト社)で「シンガポールを訪れた二人の日本人」と題して簡単に書いた。祖父の娘夫妻が調べた経歴書によれば、1878年(明治十一年)宮城県石巻市生まれで1944年(昭和十九年)に行年67歳で死亡している。戦前は、ハウプトマン研究やゲーテ全集の訳者として、それなりに知られたドイツ文学者であった。岩波文庫のハウプトマン著『日の出前』

は1993年に復刊した。

2010年以後に判明したことと、まだわからないことを記しておこう。経歴書には旧制第二高等学校を1901年（明治三四年）卒業となっている。中学校については記載がない。実は祖父は宮城県尋常中学校（現仙台一高）に入学していたのである。吉野作造が「当時同級生であった能勢三郎、橋本忠夫の両君も所謂文名嘖々《さくさく》たるものであった」と書いており、若干の経緯をへて祖父は「如蘭会」雑誌の庶務を掌っている。吉野作造は雑誌の編輯担当であった。能勢三郎は後に草野柴二のペンネームを用い小説や翻訳家として知られている。

1892（明治二五）年、14歳から仙台に寄宿していたわけだが、引き続き旧制第二高等学校（現東北大学）に入学した。二高在籍当時、俳句結社「奥羽百文会」が存在した。1902年（明治三五年）以前に確かに俳句を詠んでいるものの、所属したという証拠は見いだせない（「少年時代の追憶」『吉野作造選集』12、岩波書店、1995年、東北大学史料館・第二高等学校尚志同窓会『天《そら》は東北 山高く――旧制二高と仙台』、橋本青雨『ほし草』尚文館、1902年）。因みに『ほし草』所収の俳句を紹介しよう。小説と小説の間に挿絵のように挿入されているが、巻頭句は「梅が香や天女消えゆく枕元」、最後の一句は「畑打ちの空かげに訛る麁相哉」である。

吉野作造は旧制二高を1900年（明治三三年）に卒業したものの、祖父は翌年7月の卒業で、東京帝国大学独文科に入学後、1904年（明治三七年）7月に卒業した。これは何らかの事情で旧制二高への入学または卒業が遅れたのであろう。[1] さらに同年10月から同大学院に2年間在学した。当時は大学院を終えても学位は博士と大博士しかなく、祖父は文学士のままであった。このような経歴であるから、石巻における本家の長男であったにもかかわらず、家を継がなかったため、家を継いだ次男の息子、つまり私の叔父からは、〝財産をかなり使った〟として、あまり良くは思われていなかった。祖父がしばしば研究に費やしていた家屋は、2011年3月11日、東日本大震災で、消失した。

問題はここからである。祖父は「ホトトギス」に所属し青雨という雅号を有していた。ところが私の手元には忠夫名の著書や手紙はあっても青雨と称した原資料を受け継いでいないのである。なぜなのだろう。もっとも青雨名で刊行した書籍は国会図書館のオンラインで読めるものも少なくない。何冊か青雨名の著書を読もうとしたものの、当時の文体についで行くのは困難であり断念した。その中では尾崎行雄が序文を記している『獨逸童話集』（大日本国民中学会、1906年）は、現在でも平易な表現で理解しやすい。この著書は我が国のグリム童話の翻訳としては3番目に古い作品だと言われている（梅内幸信「グリム童話翻訳の歴史的概観」『鹿児島大学法文学部紀要人文科学論集』51、2000年）。また1905年（明治三八年）にトルストイの『男女観』の翻訳（橋本青雨）を金港堂から上梓しているが、奥付の著作者は橋本忠夫となっている。紛れもなく忠夫と青雨が同一人物であるのは明白である。ドイツ語からの重訳であろうか。東京帝大大学院在学中の明治38年7月に出版された『ゲーテの詩』（新潮社）では上田敏と交友があったことが書かれている。また第三高等学校教授時代、京都の「九日會」に参加し幸田露伴とも面識があった。[2] 因みに哲学者の堀秀彦は旧制松本高校時代の教え子の一人である。

最後に『高見順日記』を読むと1941年（昭和十六年）7月9日、受贈本、ハウプトマン「基督教」（白水社）と書いてある。昭和十六年は祖父63歳である。34歳の高見順と親交があったかどうかはわからない。高見は当時大森入新井に住み祖父は東京都豊島区であるから近所づきあいでもない。単に白水社が献本したものであるかも知れない。亡くなる年の1944年（昭和十九年）1月に上梓したペーターゼン編『シラーの對話』（教材社）が絶筆の訳書ということになるだろうか。

むすび

安藤昌益研究を終えた後、どうするか。「短歌にみるベトナム」「短歌にみるシンガポール」を始めている。ベトナム語の文献の翻訳を引き続き手がけたいと考えているが、未定である。

われ生まれし家に百日紅　あれから近づく半世紀半　再び出遭う公園の道

人生の転機を振りかえり　春夏秋冬　今はもう後悔なし

［注］

1　1894年（明治二七年）時点で旧制第二高等学校の受験者は73人で入学許可者は7人に過ぎなかったので、こうした事情であった可能性はある（仙台よみとき用語年表、https://photo-sendai.com/search/decisions/kensaku/itemname:%E7%AC%AC%E4%BA%8C%E9%AB%

98%E7%AD%89%E5%AD%A6%E6%A0%A1%28%E6%97%A7%E5%88%B6%29)。

2　『ゲーテの詩』では先輩上田文学士としか記していないが、この上田文学士とは上田敏をさすとのことである（佐野晴夫「生田春月編『秦西名詞名訳集』について（2）――その歴史的意義と問題点」『山口大学独仏文学』（5）、1983年、61ページ）。「九日會」については成瀬無極『無極随筆』白水社、1934年（昭和九年）、96ページ参照。

［定年後の学びと活動］

呉宏明

定年時の所属先：京都精華大学
定年時：2016年3月
年齢：77歳（2023年）
研究テーマ：日本統治下台湾の初等教育

［主著］

『義務教育という病い——イギリスからの警告』翻訳：［松籟社 2003］
『こうべ異国文化ものしり事典』［神戸新聞総合出版センター 2006］
『南京町と神戸華僑』共編著：［松籟社 2015］
『日本統治下台湾の教育認識——書房・公学校を中心に』［春風社 2016］
『神戸レガッタ・アンド・アスレチック倶楽部150年史』共著：［神戸新聞総合出版センター 2021］

はじめに

京都精華大学で40年間勤務したが、２０１６年3月に定年を迎えた。大学では主として教育学、英語、ガイド実践、フィールドワーク調査「神戸と外国文化」、卒論指導等の授業を担当してきた。

私の両親は台湾出身であるが、私自身は岡山で生まれ、神戸で育った。台湾のことを研究し始めたのは大学院生のころからである。台湾の言語、文化、歴史をもっと知ろうと思い、最初に日本統治下台湾の教育、特に初等教育機関である書房および公学校のことに関心を持った。定年間際の２０１６年に春風社から『日本統治下台湾の教育認識～書房と公学校を中心に』を刊行できたことは、とても嬉しいことである。定年後神戸から東京の新宿区に移り住んだ。定年後の学びと活動を中心に紹介したいと思う。

イライザ・ウイン伝の英訳

定年後、イライザ・ウインというトマス・クレイ・ウイン夫人のアメリカ人宣教師の伝記の英訳の作業に約4年間没頭した。英訳に至った動機は、阪神淡路大震災の直後、アメリカ合衆国、ワシントン州に住む神戸カネディアン・アカデミー高校の同級生トム・ウインさんから子供たちや孫に曾祖父であるトマス・クレイ・ウイン（1851〜1931）の伝記を英語に訳してほしいと頼まれたからである。トマス・クレイ・ウインは近代日本において北陸地方、大阪、大連でプロテスタントのキリスト教を伝道した。特に仏教の影響力の強い金沢においては多くの困難に遭遇した。この本は約10年かかって完成したが、夫人のイライザ・ウインの存在が夫に負けず偉大であったことがわかり、梅染信夫『信仰の証人――イライザ・ウイン伝』（金沢教会、2003年）を訳すことになった。

イライザ・ウイン（1853〜1912）はアメリカ合衆国、イリノイ州のゲールズバーグ出身で、父親はこの地に鉄道を引いた実業家であった。しかし、父親はイライザが幼少の頃に亡くなり、母親が雑貨店を経営しながら4人の子どもを育てた。イライザはノックス・カレッジを卒業し、同じ教会に通い、同じ大学に学ぶトマス・クレイ・ウインと結婚し、そして日本に宣教師として1877年（明治10年）に横浜に到着した。2人の赴任先は北陸の金沢で、ここでトマスは男子の私立中学校「愛真学校」を設立するが、イライザは女子の教育の必要性を感じ、北陸女学校を創立した。これを機に金沢において幼児教育、初等教育も定着するが、イライザは孤児院を始め、社会救済活動にも熱心であった。伝道において女性を中心にキリスト教を広めるが、教会の婦人部では西洋料理、ミシンの使い方、オルガン演奏により西洋音楽の導入等西洋文化を北陸地方に紹介した。

金沢での19年間の普及活動の後、大阪および満州で伝道をするが、夫婦2人で色々な人々や団体に関わりながら近代日本において足跡を残したのである。この2人はアメリカ合衆国北長老教会海外伝道局によって派遣されたが、まず日本に滞在したのは横浜のトマス・クレイ・ウインの叔父のサムエル・ブラウン宅であり、ブラウンは日本語の聖書を編集した人で、後の横浜バンドを形成する人々を育て明治学院大学を創設した中心人物である。またウイン夫妻を金沢に派遣した眼科医でもあるジェームス・ヘボン博士も同じく日本語聖書の編集に関わり、ヘボン式ローマ字を考案し、明治学院大学の初代学長でもあった。

なお、英訳するにあたって編集を担当したトム・ウインさんは２０１９年にお亡くなりになり、同じく編集にたずさわった高校および大学の同級生デイビッド・ランさんも２０２０年にお亡くなりになり、残念である。英訳書 Witness of Faith: The Life of Eliza Winn は松籟社から２０２０年に発行された。

トマス・クレイ・ウインとその夫人のイライザ・ウインの伝記を訳すことになったのは、高校のクラス・メートに頼まれたからであるが、修士論文で「新渡戸稲造の教育思想」を取り上げ、新渡戸の属した札幌バンドおよび彼の信仰したクエーカー思想に触れ、近代日本のキリスト教の布教活動に関心を持ったからである。また、外国人宣教師の夫人のことにはあまり光が当たらなかったことから、イライザ・ウインの伝記を訳すことに意味があると思って英訳したのである。

華僑の口述記録を残す活動

京都精華大学人文学部では1991年から10数年、国内長期フィールドワーク「神戸と外国文化」を担当した。この授業は約半年間、3年生の後期に大学から離れて実地調査を行うもので、その際多くの学生が南京町や華僑をテーマにして、神戸華僑歴史博物館を訪問したが、とても親切に対応していただいた。それがご縁で、神戸華僑歴史博物館の運営委員として博物館活動に関わってきた。また、定年までの2年間は館長を務めさせていただいた。博物館では特別展として「南京町と春節祭」および「南京町の写真展」等を企画したが、博物館の活動の一環として華僑のインタビューを通して聞き書きの記録を残すプロジェクトを立ち上げた。

２００７年1月に「関西華僑口述記録を残す意義と方法」と題するシンポジウムを開催することが出来た。第1回シンポジウムでは台湾研究所所長の許雪姫教授に「異郷における体験——海外台湾人の口述記録（１８９５〜１９４５）」という演題で講演をしていただいた。そして同年3月に徳島大学の髙橋晋一先生、山口県立大学の張玉玲先生の協力のもと、神阪京華僑口述記録研究会を立ち上げたのである。

口述記録研究会は基本的には月1回、毎月第1土曜日に開催している。毎回12〜13名から多い時で20名が出席している。参加者は高校教諭や大学研究者、高校生、大学生、在日華僑、在日朝鮮人、中国生まれの日本人ら幅広い人々に開かれている。

聞き書きの記録を残す調査で苦労するのは、インタビューに応じてくれる人を探すことだ。幸い神戸華僑歴史博物館には同郷会や商工会、学校など華僑の組織・団体が多数関わっている。ネット・ワークを生かして情報を集め、人脈をたどって紹介してもらっている。それでも取材を断られることもある。しかし、都合の悪いことや、プライバシーに関わること等、本人の了解を得て削除することもあるが、どんな些細なことでも語ってくれたこと自体が後になって貴重な記録となるのである。

今までに通算11号の記録集『聞き書き：関西華僑のライフヒストリー』を発行してきた。通算50数名の聞き書き記録を収録している。男女比は男子の方が多く大半が60歳以上である。出身地は福建省、広東省、山東省、浙江省、江蘇省、湖南省、台湾、ベトナム等である。職業は料理業、理髪業、洋服、不動産、真珠・宝石業、音楽家、塗装業、教員、不動産業等である。

華僑の口述記録を残すことが重要と思ったのは、私自身の両親を含め日本に住む華僑がどのような人生をたどってきたのか、日本での生活や体験を記録することに意味があると絶えず感じていたからである。華僑の研究に関しては主として文献資料に基づいているが、華僑一人一人の生の声の記録は残されてこなかった。在日華僑一世・二世が年々亡くなっていく中、激動の時代を乗り越えて生き抜いた証言を体系的に残すことに大きな意義があるのである。

今までの報告書は公立図書館、大学図書館、華僑関係団体等に配布されているが、多くの人に読んでもらうため、すべてのインタビューを各4頁に渡る抜粋にまとめたものを書籍化する作業を行っている。

定年後の思いと活動

東京の新宿区高田馬場に住んでみて、外国人が多く住んでいることに驚いた。ミャンマーの料理店が数店集まり、多くの中国料理店、中国の果物や雑貨を扱う店、台湾のスイーツ店やカフェ、ベトナム、タイ、ネパールの料理店が点在する。また多くの日本語学校があるので、行きかう道で多くの言語を聞くことが出来る。フィールドワーク「神戸と外国文化」の授業を担当してきたので、「東京と外国文化」という視点から新聞記事を興味深く読んで、切り抜きをしている。

京都精華大学人文学部国内長期フィールドワーク報告書「神戸と外国文化」を1号（1993年）から10号（2004年）に渡って発行した。受講生が神戸と外国・外国人に関して各自の最も関心のあるテーマをさがし、1年かけてまとめたものである。学生の選ぶテーマは個性的で多様な国や意外な取り組みがある。手法としては聞き書き、観察、イベント・行事への参加が基本にあるが、多様な発想や感性をもとにまとめられている。これらの報告をなんとか参考にして、調査を受け継いでほしいと願っていたら、神戸学院大学の大濱慶子先生、森下美和先生、眞島淳先生のゼミ「神戸の中の外国文化」で学生たちにフィールドワークの調査方法や今までの体験を話す機会を得て、本当に嬉しく思っている。京都の学生が調べた神戸の外国文化を踏まえ、地元の神戸の学生が調べてくれることはこの上ない幸せである。

「神戸と外国文化」の報告書をもとに呉宏明編『こうべ異国文化ものしり事典』(神戸新聞総合出版センター、2006年)を出版することが出来た。また、呉宏明・髙橋晋一編『南京町と神戸華僑』(松籟社、2015年)も報告書の関連図書として発行された。そして、今なお続いている華僑口述記録研究会の『聞き書き・関西華僑のライフヒストリー』も多くの華僑のインタビューが収録されている「神戸と外国文化」の報告書に大きな刺激を受けている。

神戸にいる頃から引きつづき関わっているのが『兵庫県台湾同郷会会報』で、編集委員の一人であるが、「神戸と台湾」というシリーズを計36回続けている。名古屋市立大学のやまだ・あつし先生、兵庫県立御影高校の斎藤尚文先生を中心に記事を書いてもらっている。東京にいると神戸のことがなかなか調べられないので、何かできないかと考えていたら、かって金達寿の『日本の中の朝鮮文化』(講談社、1972年)を読んで、いつか「日本の中の台湾文化」を調べてみたいと思った。

第1回目は「五千頭の龍が昇る聖天宮～埼玉県にある台湾のお宮」を紹介した。聖天宮の創設者は台湾の板橋出身の康國典氏。貿易商をしていて中国との貿易で財を成した。40代半ばにして、不治の病を患い、7年間の闘病を得て治癒した。そのお礼として、お宮を建てる決心をするが、お告げで日本の埼玉県の坂戸の地に台湾から宮大工を呼びよせ15年の歳月をかけて1995年に建立したのである。日本でも最も規模の大きい美しい道教のお宮である。

第2回目は新宿御苑の中の御涼亭（「台湾閣」）を取りあげた。「台湾閣」は昭和天皇のご成婚を記念して、台湾在住の日本人有志が昭和天皇の皇太子時代の台湾行啓に感謝して募金を募って中国風（閩南様式）涼亭を献上し、1927年（昭和2年）10月に完成した。設計者の森山松之助（1869～1949）は、東京帝国大学で東京駅や日本銀行を設計した辰野金吾のもとで学び、後藤新平の勧めで台湾に渡るが、彼の建築作品は旧台湾総督官邸（現台湾賓館）、旧台南庁（現国立台湾文学館）をはじめ、数多くの建築が現存し、活用されている。「台湾閣」は水の上に建つ休息所で、建築材料には台湾産のものが多く使われている。柱に台湾杉（亜杉）、天井の鏡板に台湾編柏《へんぱく》や台湾桧（紅桧）が使われている。

定年後取り組んでいる「神戸と外国文化」および台湾同郷会の活動は、神戸に長く住んで、多くの外国人や外国文化に触れる環境と深く関わっている。また、父親が貿易商をしていたことから、英語の教育を受けるために、小学校と中学校は聖ミカエル国際学校、高校は神戸カネディアン・アカデミーで学んだ。国際学校では、様々な国の人々や価値観に接することができ、とても貴重な体験をした。定年後の取り組みとは一見関連していないように見えるが、両親の出身地台湾、育った神戸の街、そして国際学校で学んだこと、大学・大学院で研究したことが結びついているのである。

現在では町内会の活動にも関わるようになり、ときおり体操をしたり、近所の方々とお話をしている。ゆっくりと時が流れ、東京の生活を楽しんでいる。

[定年後――これまで、今、これから]

青柳まちこ

文学博士　立教大学名誉教授　日本文化人類学会名誉会員
東京女子大学卒、東京都立大学大学院満期退学　文化人類学

［主著］

『秘境トンガ王国』〔二見書房 1965〕（『女の楽園トンガ』三修社の再録）
『遊びの文化人類学』〔講談社新書 1977〕
『子育ての人類学』〔河出書房 1987〕
『モデクゲイ――ミクロネシア・パラオの新宗教』〔新泉社 1985〕
『トンガの文化と社会』〔三一書房 1991〕
『中学・高校教育と文化人類学』編著：〔大明堂 1996〕
『開発の文化人類学』編著：〔古今書院 1999〕
『老いの人類学』編著：〔世界思想社 2004〕
『未開社会における構造と機能』翻訳：〔新泉社 1975〕
『男性優位と女性の自立』翻訳：〔弘文堂 1978〕
『エスニシティとは何か』監訳：〔新泉社 1995〕

ニュージーランド事典の刊行

清泉女子大学、立教大学、そして茨城キリスト教大学と、3つのキリスト教系の大学にお世話になった私は、第3の職場茨城キリスト教大学を2004年3月に退職した。退職後の最初の仕事が春風社にお願いすることになった『ニュージーランド百科事典』である。たまたま関係していたニュージーランド学会で、その数年前に創立10周年の記念事業としてニュージーランド事典を作成しようという話が持ち上がっており、研究室の扉に挟んであった春風社の「出版のご計画があったらご連絡を……」というチラシに、ダメもとでという気持ちでメールしたのが、そのきっかけであった。

その日の夕方、私が東京に帰宅すると、春風社から電話があり、1週間後社長の三浦衛氏、営業部長の石橋幸子氏とお目にかかることができた。2003年6月のことである。難しい出版事情を考えれば、何ともラッキーな船出であった。

事典の編集委員はすでに学会会長の大島襄二（関西学院大学）、副会長の由井濱省吾（岡山大学）、ベッドフォード雪子（摂南大学）の3先生が決まっており、そこに若干機動力のありそうな新参の私が編集代表として加わることとなる。碩学温厚で知己の広い大島先生、歩くニュージーランド事典のような由井濱先生、英語力抜群、気配り抜群のベッドフォード先生と4人で、京都駅近くのベッドフォード邸で作業が始まったのは、２００４年3月であった。

最初に行うのは項目の選定、執筆者の選定である。依頼した執筆者の原稿が集まり始めると、すぐに私たち全員が頭を抱える事態に陥った。それぞれの筆者の原稿の多様性である。通例の編集ならば執筆者の個性に任せればよいのであろうが、事典ではそうはいかない。一定の項目は一定の順序による統一した記述が要求されるだろう。

訳語の問題にも多くの時間を費やした。たとえば mountains と range、また region と province と district をどのように訳し分けるかなどなどである。また表記の統一にも気を使った。例えばダニーデンかダニーディンか、トーマスかトマスか、また中黒（・）を入れるか入れないかなど、さらにマオリ語に多用される鼻濁音の表記である。人名の表記も難しい。多民族国家のニュージーランドでは何と読んだらよいかわからない人物も出てくる。

そして最後の最後の索引校正で気が付き慌てたのは、old age pension が別々の執筆者によって老齢年金と高齢者年金と二様に翻訳されていたため、2か所に収録されてしまったことであった。慌てて1か所を削除し、その空白箇所に写真を入れてごまかした。

　私はこれまで、何冊かの本の編集に関わってきたが、事典の編集がこれほどまで時間がかかり、骨の折れる労働とは知らなかった。5校になっても6校になっても不備の箇所が見つかり、結局2007年まで作業は継続した。出版後は恐ろしくて450頁のこの本を開くことも出来なかった。編集担当山岸信子さんには本当にご迷惑をかけたと申し訳なく、ただただ感謝である。大島・由井濱両先生はすでに故人になられたが、あのベッドフォード邸での4人の活気ある、そして知的に楽しい議論は、今も忘れられない私の大切な思い出である。

　ちなみに石橋・山岸両氏にはもう一度『ニュージーランド Today』でお世話になることになった。これはラグビー・ワールドカップが2019年日本で開催されることから、これを機会に何かニュージーランドを宣伝する読み物を、出版できないかというニュージーランド大使館の意向を受けて、比較的最近の同国の動向を1タイトル2ページで纏めて紹介した書物である。幸いなことにこの書物は完売することができたそうである。

『ニュージーランドを知るための63章』と『国勢調査から考える人種・民族・国籍』

事典を終了して一段落したところで、事典の寄稿者の中からあれだけエネルギーを投入したニュージーランドに関する知識を、もう少し読みやすい形でまとめられないだろうかという声が聞かれるようになった。エリア・スタディーズというシリーズで各国を紹介出版している明石書店の旧知の大江道雅氏に相談したところ、運よく引き受けていただけることになった。事典は事項別に項目を解説するため、記載は詳細ではあるがどうしても細切れとなる。この本ではニュージーランドの自然、歴史、政治・社会、芸術、日本との関係など、出来るだけ包括的に、読み物風に面白く読者に伝わるようにしたいと考え、原稿を依頼し組み立てた。これが『ニュージーランドを知るための63章』（２００８、青柳まちこ編）で、丁寧な編集に当たって下さった大槻武志氏に感謝している。

ちなみに私とニュージーランドの関係について一言しておこう。実は大学院時代の私の最初のフィールドはトンガであった。その後家庭の事情から、往来に時間をとられるトンガを諦め、ミクロネシアのパラオを調査地と定めた。ちょうどミクロネシア地域が国連の信託統治から独立に移行する変革の時期であった。パラオの新宗教であるモデクゲイ（日本の委任統治時代に反日宗教と報告されている）の調査が私の博士論文である。ここで一息つくと、赤道直下の暑さや生活の不便さに若干疲れ、トンガに行く前に半年ほど滞在していたニュージーランドに戻りたくなったというのが真相である。トンガもニュージーランドの先住民マオリも同じポリネシア系言語を話し、文化の共通性が高い。そして何よりも街角で見かけるニュージーランド人の穏やかな笑顔が、私をこの国に回帰させた最大の理由である。

ところでニュージーランドとは別に、その頃、実は私はもう一つ別の課題に大きな関心を持っていた。それは日本学術会議第16期第4部会に設置された「人種・民族の概念を検討する小委員会」に参加する機会を得たことから、それぞれの国が自国民の人種や民族をどのように分類しているのだろうかという点である。自国民の分類はまず国勢調査であろう。その後1999年から2年間、「国勢調査・法制度にみられる人種・民族の比較研究」の課題で科研費を受けることができ、各地域の専門家19人と共に比較研究を行った。その成果は共同執筆の『国勢調査の文化人類学』（2004、古今書院、代表青柳まちこ）として刊行することができた。

しかし私はこの報告書の出版以降も、何か消化不良を起こしている気分があり、もう少しこの問題を掘り下げてみたいという気持ちが強くなり、前書を参考にしながら「人は何を基準にして他人を分類するのだろうか」という観点から、いくつかの特徴的な国の国勢調査を分析・比較した。その結果が『国勢調査から考える人種・民族・国家――オバマはなぜ黒人大統領と呼ばれるのか』（２０１０、明石書店）である。ちなみにこの時も大槻氏にお世話になっている。

そうこうしている間に、２０１２年の春、思いがけない素晴らしいご連絡を頂いた。公益財団法人大同生命国際文化基金から「大同生命地域文化賞」を授与されるとのことである。今までの仕事に対してのご褒美とのこと、大学卒業時に卒論に対して学長賞というのを頂いて以来、賞などというものに無縁であった私にとっては、有頂天になれる出来事であった。

地域社会の中で

ここまでが私のこれまでの職業の延長とすれば、退職後の私の現在の生活の中で時間的にも、仕事的にも大きな比重を占めることとなった、地域社会との係わりを書いておきたい。2011年のある日、近くの公会堂で体操をやっているという話を小耳にはさみ、それまでのプール通いが多少しんどくなっていた私は、興味を持って訪ねてみた。「これは老人会のサークルなのでまず老人会に入って下さい」と言われる。「老人会？　一体それは何だ」と思いながら、言われるままに年会費1500円を払い、そのサークルに加わることにした。同年齢の仲間と楽しく体を動かしているうちに、「コーラスをやりましょう」、「日本舞踊をやりましょう」と誘われ、その両方のサークルにも加入することとなった。

日本舞踊は小学校3～4年頃にほんの2～3年間習っていただけだが、汐汲みとか藤娘、吉原雀、越後獅子、落人などなど、今でも長唄や清元の曲を断片的に覚えている。踊り自体は嫌いではなかったが、膝の屈伸を使う日本舞踊は、この年齢ではとても無理だと考えていた。誘われて見学に行って見ると花柳先生は「今度の発表会は何時と何時、空けておいて下さい」と、こちらの気後れもお構いなしに決められる。先生の流派は現代日本舞踊ということで、適切な音楽に先生ご自身が振り付けをされ、曲も長くない。これまで「涙そうそう」「荒城の月」「越後の子守歌」「ゆうなの花」などで発表会に参加した。昨2022年のコロナの秋も「芭蕉布」で舞台に立った。体が動かなくて恥ずかしいのだが、先生のおだてに乗って現在も続けている。

コーラスも昔から関心を持っていたが、大学の音楽の授業で一人一人指名されて、コーリューブンゲンを歌わなければならない恐ろしさに震えていた私には、大学のコーラスグループは敷居が高すぎた。しかし老人会のコーラスなら、私でもできそうだと考え参加している。現代風の歌は難しく、高齢者には手に負えないので、大体昔の唱歌が多い。本間先生と鈴木先生の2人の指導者により、毎年クリスマス音楽会を開催するほか、何らかの形で発表会があり、これまで「荒城の月」、「花」、「広い川の岸辺」、「瀬戸の花嫁」、「北上夜曲」などの歌で舞台に立っている。

調子に乗って老人会とは別組織の玉澤先生のボイス・トレーニングにも通い始めた。最初は声が出しにくくなった夫の付き添いで行き始めたのだが、面白くなって夫が亡くなった今も続けている。ボイス・トレーニングとは、姿勢、呼吸、共鳴などを意識する声の出し方を学ぶことから始まり、声帯や唇・舌など発声に関わる様々な筋肉を鍛えることが目的である。こうして口腔関係の筋肉を鍛えることは、歌唱力の向上ばかりでなく、嚥下力の強化につながり、誤嚥性肺炎の予防に役立つとのことである。先生が地域で幾つかの教室を主宰しておられるので、コロナ禍以前は、その生徒たち全員で毎年秋100人コーラスという形で舞台に立っていた。

市老連への参加

そうこうしているうちに私の参加している老人会の会長が体調を崩し、会長のお鉢が私に回ってきてしまった。そもそも老人会というものは地域社会の高齢者団体で、それぞれの地区の高齢者団体はいわば一つの細胞で単位クラブと呼ばれ、それらが集まって○○市老人連合会（市老連）、都老連、さらに全国的な組織である公益財団法人の全老連が存在する。地域自治体も高齢者の福祉増進のため、福祉課とか高齢者支援課などが支援に関わり、毎年助成金が支給されている。昨年は全国老人クラブ連合会60周年記念ということで、11月8日に両国国技館で大々的な式典があり、天皇・皇后が出席されている。

一つの細胞である地域の老人会の団体（単位クラブと呼ばれている）はほぼ30名から150名ほどのメンバーを擁し、地域高齢者の相互扶助、清掃、資源回収などのほか、輪投げ、グラウンド・ゴルフ、カラオケ、コーラス、体操、小旅行など、老人を元気にする活動に力を入れている。

市老連という組織を知ったのは、私が一細胞である単位クラブ会長になってからである。会長になると一段上の組織、市老連に理事として加入し、市老連の活動に参加しなければならなくなる。わが市老連の年中行事はカラオケ大会、芸能大会、文化祭などのほか、初詣、歩こう会、理事研修会などの日帰りないしは一泊旅行などがある。また年4回広報誌を刊行している。一般的な組織と同じく、理事らはそれらの仕事を分担して行っており、私はこれまでの経験から広報部会を希望し、広報誌の取材、原稿書き、校正などそれなりに楽しくまた忙しく働いている。

ところで驚いたことに、市老連、都労連にも「女性部」という部があることだ。我が市老連では女性はすべて自動的に女性部に加入させられる。他の総務部、厚生部、文化部、広報部などというのは、ある活動目的を持った機能集団であるのに、女性は生得的な性に基づいてすべてこの女性部に属することになる。そして女性部の仕事は何かと言えば「規程集」によれば、友愛活動に関する事項とある。友愛活動というのは具体的に何を意味するのか不明であるが、イベントの際の食事の手配などは必ず女性部の仕事と決まっているようだ。現在女性は他の部にも加入するようになっているが、その結果女性は第一義的に女性部、二義的に他の部所属ということになっている。

本来女性部は女性の活躍を期待して作られた活動分野であったかもしれないが、性による強制的帰属決定はやはりおかしいと、ここ数年来反対の声をあげている。

ネイティブ・アメリカン女性リーダー自叙伝の翻訳

２０２１年、同業者の夫が死亡した。彼の遺品を整理していると、シカゴのエスニック集団の歴史や構成、連邦政府の政策、現状などを扱った何本かの論文と、かつてアメリカ南東部に居住し19世紀にオクラホマに強制移住させられたチェロキー・インディアンの女性リーダー、マンキラーの自叙伝の翻訳が見つかった。両方とも7割位は書いてあるらしい。前者の論文を纏めてネイティブ・アメリカンの視点から見たシカゴの歴史を一冊の本にするのは私の手に余る。それに比べれば分厚いが翻訳なら何とか出来るかもと、この春からマンキラー自叙伝の翻訳を開始し、数年後には出版にこぎつけて、今度夫に会った時「あれ出版できたからね」と自慢げに報告するのが、現在の私の計画である。

［私のささやかな学問と人生の後半］
――定年時（2012年）・それから・そして今（2022年）

三橋利光

一九六六年三月、上智大学外国学部フランス語学科卒業
一九六九年三月、東京大学教養学部教養学科卒業
一九七三年三月、上智大学大学院修士課程修了（国際学修士）
一九七三年四月、同大学院博士課程国際関係論専攻入学
一九七四年六月から三年間、フランス政府給費留学生としてパリに留学滞在。パリ大学V、社会科学高等研究所、ラテンアメリカ高等研究所の各博士課程にて、フランス社会学・ラテンアメリカ地域研究を学ぶ
一九七九年三月、上智大学大学院博士課程満期退学
上智大学国際関係研究所助手、名古屋聖霊短期大学国際文化学科専任講師ついで助教授、東洋英和女学院大学人文学部社会科学科助教授ついで教授などを歴任
一九九三年十二月、同大学大学院より博士号（国際関係論）取得
定年時（二〇一二年）の所属先は、東洋英和女学院大学国際社会学部・同大学院国際協力研究科（年齢六九歳）

（一）定年時（２０１２年）の研究テーマと概説

●研究テーマ：21世紀の利他主義

1．基本としての思想と二著書の刊行

定年時の研究テーマ「21世紀の利他主義」の根元には、博士論文『コント思想と「ベル・エポック」のブラジル—実証主義協会の活動—』（勁草書房、１９９６年）がある。本論文では、オーギュスト・コント（Auguste Comte）後期思想（19世紀中葉）で創案された "altruisme"「利他主義」について、19世紀末から20世紀初頭のブラジル、特に首都リオデジャネイロの事例で、その受容と展開を扱った。続くその後の研究テーマは、〈現代21世紀世界での「利他主義」の展開と展望〉、である。

幸い、定年時の少し前に春風社から以下二点の著書を上梓させていただいた。『国際社会学の挑戦—個人と地球社会をつなぐために—（２００８年）』・『国際社会学の実践—国家・移民・ＮＧＯ・ソーシャルビジネス—』（２０１１年）である。

2．個人と地球社会をいかにつなぐか

上記二書とも21世紀における利他主義の在り方、またその理論化の試みである。

3．国家とＮＧＯの競合・協力的実践

後者の『国際社会学の実践』での個別研究テーマは、利他主義の実践例の検討である。

4．以前の研究・調査など

博士論文執筆当時の専門領域は国際関係論・地域圏研究であった。私の場合、一地域圏のみに限定されず、フランスを中心としたヨーロッパ、米国、ラテンアメリカ（特にメキシコ）、と多領域にまたがり、また思想研究が主となった。大学学部時代・大学院時代・パリ留学時代と、自分の長期にわたる学生時代における各段階で、研究の発展に伴い、関心の向かう地域圏も自然に変化したのである。フランスではオーギュスト・コント、米国研究では、やはりフランス人のアレクシス・トクヴィル（Alexis de Tocqueville）の *De la démocratie en Amérique*（『アメリカの民主主義について』）、ラテンアメリカ思想としては、レオポルド・セア（Leopoldo Zea）を取り上げた。最後のセアに関しては、共訳書を上梓した（小林一宏・三橋利光訳『現代ラテンアメリカ思想の先駆者たち』乃木書房、２００２年）。

その後ある時、京都の私立大学の招きで、教養講座での「地域研究の楽しみ――ディレッタントのフランス・米国・ラテンアメリカ駆け巡り」のタイトルで講演する機会を得た。当日、満員の大会場で大多数の聴衆の反応が好意的であったのは有り難く、自分としては、それまでの地域圏研究の対象変遷の意味を再確認した。

また、これら各地域圏について、フランス語による研究論文（日仏社会学会用）、ボリビアの日本人移住地実地調査隊（文科省助成）の一員としてサンタクルス市近郊の二つの日本人移住地調査（二年に亘る夏期）結果を日本語・スペイン語による調査報告論文として発表した。しかしグアテマラの奥地で自分一人でフィールドワーク（面接調査、間隔を置いて別の年に都合二回）を実施した際は、調査結果を発表せずに終わった。

ところで、上記の長い学生時代の各時期に、またその後においても、幸運にも素晴らしい恩師に恵まれたことが忘れられない。まずは上智大学院時代に直接の薫陶、指導を受けたA師。さらに、T先生、F先生、U先生、M先生、そして先に触れた日仏社会学会を通してフランス人社会学者のピエール・アンサール（Pierre Ansart）先生、また上述のメキシコ人思想家のセア先生。もちろんその他の先生方や先輩・同僚たちからも影響を受けたが、これら七人の恩師は格別だった。

この七人の共通点は、お人柄が魅力的で、かつ並外れた研究活動で大活躍されていたことだ。自分は学生時代の各段階でまたその後でも、これらの先生お一人お一人を目指すべき目標として、密かに自分自身を練磨するためにどれほど見習いの真似事をしていたことだろう。ともかく、それぞれから特別な教えと恩顧を受けたとの思いが、つねに自分の財産として残る。というのも、この天空のどこからか、彼女と彼らの私への声援がこぞって光の束となり、地上でのささやかな私の研究人生を励ましてくれるのを、強く感じるからだ。

（二）それから

定年後の十年間を振り返ると、今思えば、あっという間に過ぎ去ったような感じである。その間、研究テーマの基本には、（一）定年時の前記二書『国際社会学の挑戦』・『国際社会学の実践』が底流にあった。そしてすでに触れたように、その背景には後期コント思想があった。

それから、21世紀の利他主義研究として、テイヤール・ド・シャルダン (Pierre Teilhard

de Chardin) に取り組んだ。その『現象としての人間』(*Le Phénomène humain*, Paris: Edition du Seuil) における壮大なスケールの思想は、驚きであった。またその原著フランス語の文体自体が伝える、正確無比で端正な美に酔いしれた。日本語訳も、優れたものであった。

(二)では、恩師による影響に触れた。そのお一人を中心として、都心のホテル内カフェなどで小規模の研究会議(若手を含めた四~五人で構成)が年に四、五回適宜開催されていた。幸い、私もこれにほとんど毎回参加させてもらった。会議では、恩師の発想と考え方から、また参加仲間たちの本質を突いた鋭い発言により、躍動するような知的刺激を受け、個人としての人間のあり方についても感じることが多々あり、大きな収穫となった。この会議自体も、当の恩師がつい先ごろ惜しくも急逝される数ヵ月前まで、四、五年続いたかと思う。また、この先生による英語での著作の一冊は、上記参加仲間の一人と翻訳出版に漕ぎ着けた。

ところである時、別の恩師の一人から、私の研究志向が徹頭徹尾、理想主義で貫かれている、との批評が寄せられた。その時、ハッと気づいた。理想主義と現実主義の相克によってこそ、望ましく妥当な方向性が見い出せる、との認識が一部の国際関係論研究者の間で定説化されていたことをである。

もちろんそれだけでは理想主義自体を鍛え、再生させるには不十分である。しかし自分は、この点に目を向けE・H・カー（E.H. Carr）の『危機の二十年』（*Tweny Years' Crisis*）・『歴史とは何か』（*What is History*）を再読すべしと考えたが、まだ実行していない。

この期には、ある日突然、日本文化のエッセンスを学びたくなった。手始めに、適当か否かは定かではないものの、津田左右吉の著書（近年読み易くなった復刻版）を何冊か入手した。まずは『古事記及び日本書紀の研究［完全版］』（毎日ワンズ、２０２０年）を、本来の『古事記』・『日本書紀』（文庫本）とともに読み始めた。津田の、ストレートで正直な研究姿勢や、優れた判断力・洞察力とともに、同時に皇室を尊敬するという人柄に惹かれた。

また、親鸞に興味をもち、入手しやすい関連本を購入して、それぞれ興味深く、と同時に不思議な感じに包まれながら読んだ。当然のことながら、その中には唯円『歎異抄』も含まれる。この他力本願といい、「念仏至上主義」ともいえる、ひたすら念仏に専念するという生きる姿勢は、21世紀の現代日本人である私には、（かえって私こそが傲慢であることを暴露していることになるだろうが）何か、遠い国のことのように感じられた。しかしその中で、別のグループ仲間から借りて読み進めてきた、丹羽文雄『［新版］親鸞 上・

中・下巻』（新潮社、下巻は昭和51年7刷）には、格別の読み応えを覚えた。当時の仏寺同士の抗争や、政治機構上層部でのパワー・ポリティックス、さらに一般庶民の貧しさ等の細密描写とともに、その背景に、綿密な下調べが想定される貴重な歴史書と感じるからであろう。

ここで話は、私の「趣味・道楽としての」（と言っては師匠に叱られるかもしれないが、）お能（謡と仕舞）の稽古について触れさせていただきたい。上記、別のグループ仲間とは、このお能稽古のシニア・グループである。実は、この稽古は、（一）定年時（2012年）からさらに十年も前に、ある流派の名家で始めさせていただく幸運に恵まれ、それ以来かれこれ二十年間続いている。大学・大学院時代には夢想さえしなかった体験である。さすがに今は自分を初心者とは思わないが、稽古期間の長さを鑑みるとき、いまだに自分の能表現（謡・仕舞の両方）の稚拙さを痛感せざるを得ない。それでも、私よりかなり若い師匠の稽古指導はいつも丁寧で、有り難い。こうして年二回の能楽堂での発表会はもとより、普段私が短時間でも自宅で懸命に復習をすること自体、自分にはこの上ない喜びになった。ほとんど生きがいなのである。またこの稽古は、上述の、日本文化のエッセンスを学ぶことの、実践の一つとも感じている。

(三) そして今（2022年）

現在の日常

研究関係については、(二) で具体的に、定年時での研究がこれまでさらに膨らみ、まだ専門研究とは言えないものや、趣味道楽にも触れた。そこには自分の研究への甘さが垣間見られる。研究それ自体の精進にしても、厳しさと徹底さを欠いていたことを今、反省する。今後の課題は、さらに学び続けながら自分の興味や関心を取捨選択し、これからでも自分流研究成果を残せるか、である。

心境

今年いよいよ傘寿（八十歳）を迎えたことが、自分にとって大きな転機になると感じる。

二大課題に直面

1．急速な老化現象の実感と健康と体力、認知症の不安

三十代の頃から、ほとんど半世紀の間、自宅での起床後、基礎体操・柔軟体操を続けて

きた。また最近の十年間は、週二回ほどジムでの筋トレ、プールでの水中ウォーキング、水泳などを実施。しかし目下、面倒がって、ジムへ向かう回数が極端に減っていた。そのせいか、急速に体力・筋力・抵抗力の衰え等、老化現象を実感し始めた。また近頃は急に物忘れが頻繁で、認知症への対策が必要である。一方、高齢者の二人に一人が癌に冒されるという現状の下、「がんを防ぐ12か条」を遵守してきた。

2．終活の見事な実行は可能か

気がついてみると、今や、疾うに終活を開始すべき時期が来てしまった。それをこれから立派に果たせるのか、不安である。

最近の大発見

自分にとって最近の驚きは、娘のアパート引っ越しの際、娘とともに一日がかりで旧アパート（知人の所有）の掃除で自分自身、大奮闘できたことである（九時間も続けて、その間ほんの少しの休憩と、妻が外で購入してくれた多少のスナック摂取だけで、ほとんど立ち尽くしで働く、という自分にとっての快挙である）。これが自分の健康と体力に決定的な自信回復となった。この一大発見が、上記の自分流研究成果を残すこと、並びに二大課題の克服、に資することを願う。

ところで、これまでの研究では利他主義を主要関心事としてきた。最近、利他主義についても感じるところがあった。利他主義を主張するならば、現実生活の中でそれを身をもって実践すべきなのである。しかし自分には甘さの反映なのか、現場に赴くだけの活力と勇気がどうも湧いてこない。少なくともそれを実践している知人の、広い意味での教育活動に賛同し、それを背後から支援するために、実行委員長を一定期間務め、今ではその顧問をすることになった。また、多くの人が実行しているように、私の場合は少額ながら、人道活動に携わる知り合いのＮＧＯに定期的に寄付を続けている。

人生の締めくくりをどうするかなど

すでに夫婦の墓は購入済みであり、家族も点検しているので、その心配はない。自分は、妻と前後してその墓に入るであろう。できれば安らかに、意識明晰で、感謝しつつ死を迎えたい。

[研究と教育の両立、そして……]

松原好次

東京外国語大学外国語学部ドイツ語学科卒業。

元電気通信大学教授。

専門は言語社会学、言語政策。特に、少数民族言語(先住民族や移民の言語)の衰退・再活性化について研究。

[主著]

『ハワイ研究への招待――フィールドワークから見える新しいハワイ像』共編:[関西学院大学出版会 2004]

『消滅の危機にあるハワイ語の復権をめざして』[明石書店 2010]

『英語と開発――グローバル化時代の言語政策と教育』監訳:[春風社 2015]

『難民支援――ドイツメディアが伝えたこと』[春風社 2018]

『ことばへの気づき――カフカの小篇を読む』[春風社 2021]

『カフカエスクを超えて――カフカの小篇を読む』[春風社 2023] 他

定年退職してから数年たったある日のこと。書斎で読書中の私を見て孫（4歳半）が訊いてきた。

――ジージのおしごとは、おべんきょうなの？

私は返答に窮した。学問とか研究と言っても孫には通じないと思い、次のように答えた。

――そうだよ、おべんきょうがジージのおしごとなんだ。

すると孫は「へ～、そうなんだ」と言ったきり隣りの部屋に行ってしまった。この子がどのような気持ちだったのかは訊かずじまいだった。しかし、「おべんきょう」を嫌々ながらするものだとは考えていないように感じられた。もっと肯定的に捉えているのではないかと思えた。彼女は好奇心満々で、さまざまな物事に興味を示し、ひらがなや漢字、アルファベットや数字を読み書きしたり、花や昆虫の名を楽しみながら覚えようとしたりして、「ジ～ジ、おべんきょうしよう」と私に声をかけることがよくあったからだ。

孫との対話をきっかけに、私は定年退職に至るまで辿ってきた道と、これからさきの道のりに思いを馳せてみることにした。その際、マックス・ウェーバーの『職業としての政治　職業としての学問』（中山元（訳）日経BP社、2009年）を読み直してみたい。

「学者の情熱」

マックス・ウェーバーは『職業としての学問』で、「学者の情熱」について以下のように述べている。

ある写本の解釈が正しいかどうかに情熱をかけることのできない人は、学者としての職業には向いていない人であり、もっと別の仕事に携わるべきなのです。人間にとっては自分の情熱をかけることのできない仕事は、意味のないものだからです。（178頁）

ごく狭い専門領域に閉じこもることによってのみ、そして、日々の厳しい仕事を土台にしてはじめて、「思いつき／霊感」が得られるとウェーバーは強調している。ところで、先ほど述べた幼稚園児は私の姿を見て何を感じたのだろうか。我田引水かもしれないが、無理強いされた「勉強」ではなく、知ることが楽しみである「おべんきょう」を見いだしてくれたのではないだろうか。

私は「言語差別」（母語あるいは使用する言語によって不当な差別を受けること）という問題に関心を抱き、国内外のいくつかの場所でフィールドワークを行ってきた。とりわけ、少数民族言語（ウェールズ語、マオリ語、ハワイ語など）の再活性化運動を調査するにあたって、イマージョン保育・教育に携わる教職員と接する機会が多かった。彼らはマイノリティ言語の再活性化を図る手段として、民族言語による子どもたちの保育・教育を実践している。英語などの優勢言語を使って教えると、子どもたちの民族言語獲得には至らないと考えるからである。また、少数言語の衰退を加速化させる法律・条例の研究のため、大学図書館等で調査することもしばしばであった。

ウェールズ語の衰退・復権に関する現地調査では、偶然出会ったウェールズ語話者の家庭に滞在させてもらい、民俗博物館で罰札（Welsh Not）を直接見ることができた。ウェルシュ・ノットという罰札は19世紀の大英帝国ウェールズ地方の学校で使用されていたもので、母語のウェールズ語（カムリ語）を喋ると生徒は首にこの札を吊るされた。次から次へと別の生徒の首にかけられ、不運にも一日の終りにかけていた生徒が鞭打ちの罰を受けることになっていた。

マオリ語復権運動については、コーハンガ・レオ（マオリ語を保育言語とする保育園）やクラ・カウパパ・マーオリ（マオリ語を教育言語とする幼稚園・小中高校）の実態を現地で調査した。

ハワイ語再活性化運動の現場でも、未就学児から大学院までをハワイ語で保育・教育する実態を観察することができた。また、大学図書館等では、ハワイ語氏名の使用禁止規定（1860年）や、学校教育におけるハワイ語使用の禁止に関する法律（1896年）を確認することができた。

香港の学校教育における調査では、広東語が多くの人々の母語であるにもかかわらず、教育言語としての役割を英語および普通話（標準中国語）に奪われていく実態を19世紀半ばまで遡って追跡することができた。

少数言語の衰退・復権についての研究に自分なりの情熱を傾けてきたのではないかと思っている。しかし、学者にとって「情熱」は必要条件であっても十分条件ではないのかもしれない。「学者の情熱／霊感の大切さ」に関してウェーバーは以下のように述べている。

すばらしい思いつきというものは、（…）突然のように現れるのであって、デスクに向かって詳しく調べたり、探し求めたりしているときには、現れないものなのです。（…）こうした「霊感」が訪れるかどうかは、すべての学問的な仕事にともなう偶然であって、学者たるものは、これをうけいれなければならないのです。優れた学者としての仕事をしていながら、一度も貴重な思いつきに恵まれなかった人もいます。（180〜181頁）

「研究と教育の両立」

「研究と教育という二つの顔」の項でマックス・ウェーバーが述べているとおり、研究と教育の両立については苦しみの連続であった。

大学は研究と教育という二つの課題の両方を満たす必要があるのです。しかし一人の人物のうちに、研究と教育の両方の資質がそなわっているかどうかは、まったく偶然が決めることです。このように大学での生活は、まったくの僥倖に支配されているのです。（175頁）

さらにウェーバーは「学問の効用」と絡めて、「相手の学生のうちに、明晰さと責任感を作りだすという義務を果たすこと」が教師の役割だと述べている。そして、「民主主義」を引き合いに出して、教師と指導者の資質の違いに触れている。

> 教室や講堂でたとえば民主主義について語るとすれば、民主主義のさまざまな形態を示し、それぞれの形態がどのように機能するか分析し、社会生活においてそれぞれの形態がどのような影響を及ぼすかを確認し、これを民主主義的でないその他の政治秩序と比較するのです。これによって、聴講者は、自分が何を究極の理想とするかに応じて、民主主義について取るべき姿勢を決める拠り所をみいだせるようになるのです。そして真の教師であれば、明確に表現するか暗黙的に表現するかを問わず、教壇から自分の見解を押しつけるようなことは避けるでしょう。「事実《ザッヘ》をして語らしめる」

ためにも、このような態度をとることが不誠実なものであるのは、明らかだからです。
（212頁）

現地調査や文献調査で得た知見を学生たちに伝える場合、私は上記のことばを頭に置いて講義に臨むようにした。ウェーバーの用語でいうと、「心情倫理」ではなく「責任倫理」に基づいて行動するということであろう。

一例として、ハワイ語再活性化運動に触れた授業を再現してみたい。背景や現況を紹介したのち、この運動のもつ問題点や課題も考えさせるように努めた。特に、ハワイ先住民の奮闘に対する賛成意見と反対意見をいくつか提示してから、学生たちに自分自身の意見をまとめるよう促した。その過程で学生たちからは、さまざまな質問が出された。いくつかを列挙しておきたい。

――ハワイ語を優先してしまったら英語が満足に身につかないため、進学や就職の際、不利になるのでは？
――ハワイの先住民族にだけ特権が与えられてしまい、他の移民集団との間に軋轢が出てくるのでは?

――ハワイ語イマージョン校(ハワイ語を教育言語とする学校)に入れるのは親の勝手であって、子どもは有難迷惑なのでは?

質問に答える形で、ハワイでの動きが世界の他の地域でも起きていることを紹介。例えば、国内にはアイヌ語や琉球諸語の復権運動、あるいはポルトガル語やベトナム語のための母語維持クラスがあることに言及した。

その後、リスポンスシートに書き込む形で自分の意見をまとめるよう学生たちに求めた。そして、次の授業の際、主だった意見を全体にフィードバック。退職した今になって振り返ってみると、学生たちとの意見交流は楽しいものであったが、「研究と教育の両立」に割いた気苦労は一方ならぬものであった。

「学問」という頸木《くびき》から脱して

定年退職後(2013年~)は、「研究と教育の両立」に煩わされることなく、晴耕雨読の生活をしようと考えた。家の近くの市民農園で野菜や花を栽培しながら、積ん読中の本を読もうという計画である。手始めとしてフランツ・カフカの作品を原文で読むという目標を掲げた。

半世紀近く前に学んだドイツ語に再挑戦すべく、私は大学の生涯学習プログラムでドイツ語講読クラスを受講することにした。同時に、来たるべきプラハ旅行に備えて、初級のチェコ語を学び始めた。カフカの生家や住んだ家々を訪ね、散歩道を辿り、錬金術師通りの仕事部屋を見学し、埋葬されているユダヤ人墓地に足を運ぶ……定年退職後の夢……

ところが、東京外国語大学のオープンアカデミーでカフカの短編（「ジャッカルとアラブ人」）を読んでいるとき、「難民危機」が勃発した（2015年の秋）。そこで2016年度の講読では「ドイツ語の新聞を読む」というコースを受講した。この講読クラスで、ドイツに押し寄せた難民の窮状だけでなく、難民を受け入れた市民の苦悩を知り、カフカをいったん脇に置き、難民に関する新聞・雑誌記事を読んだり、インターネットで難民の現況を見たり聴いたりすることにした。

そして2年後の2018年8月、『難民支援——ドイツメディアが伝えたこと』（春風社）という単行本を上梓。この本では、80万超の難民がドイツを中心としたヨーロッパ諸国に押し寄せたことを「難民問題」という切り口で論じるのではなく、市民たちが、なぜ、どのように支援の手を差し伸べているかという実態報告に重きをおきたいと考えた。後になって考えてみると、ドイツ語漬けの2年間だった。実のところ私は外国語学部でドイツ語を専攻していたのだが、挫折した経験がある。入学してから1年半後（1968年の秋）、大学のロックアウトにより専攻語の学習を中断してしまったのだ。『難民支援』の執筆は、青春時代の挫折を抱えてドイツ語と格闘した2年であったとも言えよう。

「難民危機」への関心が国内外で薄れかかった2019年の春、新型コロナウイルスの蔓延が世界を震撼させた。予定していたプラハへの旅は、再度、断念せざるをえなくなった。オープンアカデミーやサマースクールの講座も多くは中止になり、オンライン形式のみの授業が残された。そこで私は「カフカの短編を読む」というオンライン講座に登録。若いカフカ研究者に導かれて「判決」「田舎医者」「掟の門前」「乗客（『観察』）」などを読んだ。

講座終了後、受講者二名とともに読書会「カフカの小篇を読む」を立ち上げた。月一回、新宿の喫茶店でカフカを読み続けることにしたのであるが、コロナウイルス新規感染者数が急増したため、延期したり、会場を公園に変更したりの二年半であった。しかし、「人間万事塞翁が馬」である。ステイホームの期間中、カフカの小篇を毎月一篇読み、（時には幻の）読書会に向けてエッセイを書き続けた。それをまとめて２０２１年の秋、『ことばへの気づき――カフカの小篇を読む』という単行本を上梓することができた。

この本で訴えたかったことは、長編・中短編だけでなく、小篇の中にこそカフカの魅力が潜んでいるという点である。「緊密さを創る者《ディヒター》」としての詩作者《ディヒター》カフカは「書く」という行為を通して、「ことばへの気づき」を私たちに与えてくれているからだ。

新型コロナウイルス感染者数は間歇的に急増した。そのうえ２０２２年の春、ロシアによるウクライナ侵攻があり、世界情勢は一気に緊迫。プラハへの旅は未だ叶わないが、カフカの読書会は継続中である。小篇を読み、エッセイを書く。そして集まれる時にはコーヒーを飲みながら、集まれない時にはメールの遣り取りを通して、カフカの作品について語り合う。実際には、「身の周りで起きている事象をカフカの眼で眺めたらどうなるであろう」と考えながら意見交換をしている。

書きためたエッセイを『カフカエスクを超えて――カフカの小篇を読む』（春風社）として２０２３年の春に出版。カフカの小篇を三十数篇読んで気づいたことがある。カフカの作品は「カフカエスク（カフカらしい／不条理な／理不尽な）」ということばで括られることが一般的であるが、この一語で全ての作品を読み解くことは困難であるという点だ。

そこで、「カフカエスクを超えて」というタイトルを付したうえで、三つの視座（現実と非現実の境を行き交う、脇に身を置いて眺める、終わらないように終わる）からカフカの小篇群を読むことにした。

エッセイという形式を採ることによって、研究論文とは異なる方式で自ら感じたことや考えたことを文字に記すことができたような気がする。「学問」という頸木から脱して自由に書けている自分の姿に満足している。

［学問への興味は川の流れの如くにずっと続いていくもの］

東山安子

経歴：35歳より明海大学外国語学部英米語学科専任講師。「異文化コミュニケーション概論」「非言語コミュニケーション論」などを担当する。52歳で同教授職を辞す。62歳で「ＩＮＶＣ暮らしとアートの研究所」を設立。代表を務める。
退職時の所属先：明海大学外国語学部英米語学科・応用言語学研究科
研究テーマ：異文化間非言語コミュニケーション論

［主著］

『日米ボディートーク 補増新装版 身ぶり・表情・しぐさの辞典』共編著：［三省堂 ２０１６］
『ボディートーク 新装版 世界の身ぶり辞典』翻訳：［三省堂 ２０１６］
『暮らしの中ののんばーばるコミュニケーション 愛蔵版～小さな幸せを取り戻すために～』［銀の鈴社 ２０１６］
『英語教師のためのコミュニケーション読本 Verbal & Nonverbal Communication』［パレード ２０２０］他

0　専門分野

私が専門としてきた分野は「異文化間非言語コミュニケーション論」である。人と人とのコミュニケーションは言葉のやり取りだと捉えられがちだが、実は無意識に使われている「言葉によらないコミュニケーション」の方がメッセージの本質を伝えている場合が多々ある。言葉によらないコミュニケーションのことを「非言語コミュニケーション」（Nonverbal Communication／以下ＮＶＣ）という。主要な領域は「身体動作学（Kinesics）：身ぶり、手ぶり、顔の表情、視線の向け方、ふれあい、挨拶の仕方、姿勢、歩き方など」「パラ言語学（Paralinguistics）：声の表情、声の質、声の高さ、声の大きさ、話す速度、間の取り方、沈黙など」「近接空間学（Proxemics）：空間や場の捉え方、縄張り意識、座席の占め方、相手との距離の取り方、列の並び方など」「時間概念学（Chronemics）：時間に対する捉え方、時間厳守、遅刻厳禁、ゆったりしたローカルタイムなど」である。

この分野は１９５０年代に、アメリカ国務省のＦＳＩ（Foreign Service Institute）において、海外勤務する外交官の訓練プログラムを模索する中で生まれた。このプログラムを5年間率いたのが文化人類学者のホール（E. T. Hall）である。彼は「時間と空間に関わる隠れたルール」（時間概念学と近接空間学）が文化によって異なるために生じる文化摩擦について研究し、現地の言語ばかりでなく、ＮＶＣを学んで赴任することの重要性を示唆した。このチームで共に研究を進めた言語学者のトレーガー（G. L. Trager）がパラ言語学を、文化人類学者のバードウィッスル（R. L. Birdwhistell）が身体動作学を体系化した。

私がこの分野に出会ったのは英語学に関する卒論のテーマを探していた20代であった。言葉よりも本音に根ざすメッセージを伝えたり、文化ごとに興味深い違いがあったりすることに心惹かれた。そして何よりも、笑顔、まなざし、優しい声、温かいハグなど、人と人が対面して話をすることに付随する「人間的なあたたかなコミュニケーションの手立て」が研究テーマにつながることへの喜びがあった。長年、アメリカ人の共同研究者と共に「日米の身ぶりの比較対照研究」を続け、その成果は『日米ボディートーク　身ぶり・表情・しぐさの辞典』（三省堂　２００３）として出版した。

「異文化コミュニケーション」というときの「異文化（Intercultural）」は、日本とアメリカなどの国ごとや、アジアや欧米などの文化圏ごとの違いと捉えられがちであるが、同国内でも、関東と関西などの地域文化差もあれば、シニア世代とZ世代のような年代ごとの文化差もある。障がいのある人とない人の文化も違うし、公立の学校と私立の学校の文化や、我が家と隣の家との文化も異なる。このような多様な文化を扱う異文化コミュニケーション論では、まず世界や同国内の文化の多様性に気づくことが出発点である。そして「同じ地球上に生きる者」としてそれらの多様性を理解しあい、共感（empathy）しあい、フェアな態度で尊重し、受け入れあうことを目指す。日本の社会ももはやモノクロではない。色々な意味でカラフルな人々の存在とその多様な考え方や価値観、生き方を包容する社会へと変化していく必要がある。そして、異文化間の多様性を理解するには、無意識に行われていることの多い「異文化間のＮＶＣ」に目を向けることが重要だと私は考えている。

１９５０年代に生まれたＮＶＣという分野は、私の年齢と同じ70年が経ち、異文化コミュニケーションの問題について論じられるときに、やっと当然のこととして含まれるようになってきた。そういう意味では、これからがこの領域の正念場でもある。複雑で掴みにくい異文化間のＮＶＣであるが、避けて通ることなく学問上の対象として取り入れることで、「見えてくる異文化コミュニケーションの世界」は全く異なるはずである。今後の研究の発展に期待を寄せたい。

1　大学での教員生活

私の本務校は明海大学外国語学部英米語学科であった。1988年（昭和63年）の浦安キャンパス開学時から専任として教壇に立ち、当時の設立メンバーと共に一期生から大切に育ててきた。先輩の先生方のご意見を伺いつつ、若き日の同僚たちとなんでも話し合いながら学科の運営を進めてきた。皆、学生想いで共感力の高い人たちであり、私たちのチームワークは抜群であった。今でも年に一回は集って、忌憚のない話を交わす。事務職員の人たちも学生たちのことを誠実に考えてくれる人たちばかりで、よく相談に行った。学生たちは明るくて人懐こく、興味を持てば積極的に自主ゼミをしたいと言ってくるような熱心さのある学生たちであった。

担当していた科目は「異文化コミュニケーション概論」や「非言語コミュニケーション論」が中心で、大学院として応用言語学研究科ができたときにも、同様の科目を担当した。当時千葉県に新しく開校された明海大学と神田外語大学は、「コミュニケーション」を中心に据えた新しい大学であり、コミュニケーション関係の科目が多かった。神田外語大学でも「非言語コミュニケーション論」という科目を新設したから教えて欲しいと頼まれ、引き受けた。人気科目となり、毎年新年度初日の授業には、１００名定員のところを倍の人数の学生たちが履修したいと待っていてくれた。

この他にもお声掛け頂き、信州大学、青山学院大学、東京女子大学、日本女子大学、立教大学・異文化コミュニケーション研究科などで「非言語コミュニケーション論」を教えた。私が学生時代に興味をもったように、どの大学の学生たちもこの領域への関心は高く、積極的にディスカッションやリサーチをしてくれた。こうして楽しく充実した40代を過ごしていたが、子育てと同時進行していく生活はあまりにも多忙な日々の連続でもあった。気をつけてはいたものの心配りが行き届かなくなっていたのであろうか、家族が入院する事態に致ってしまった。

2　イギリスでのサバティカルと退職

少し暮らしを変えなくてはと感じ、50代を目前にしてサバティカルを得て、イギリス北部のヨークに一年間滞在した。そのときに感じた暮らしの違いが、この後の私の生き方に大きな影響を与えた。小さな街であるヨークでは17時になるとバス停の前に長蛇の列ができる。街のお店は17時前から帰り支度を始めていて、17時になると鍵が閉まってしまう。17時に仕事が終わってバスで帰る距離なら、夕食は家族揃って食べられる。国連の幸せな国ランキングの上位にいるオランダは18時に帰宅、フィンランドでは16時に帰宅がデフォルトだという。

サバティカルを終えて日本に帰国すると真逆の世界で、当然のことのように仕事が倍増して待っている。せっかく暮らしを見直し始めていたのに、そんな状況では家族の病状は快方に向かうはずもなく、ついに私は専任の職を辞すという決断を迫られた。したがって、私は教授職を全うして定年を迎え、感慨深く教壇を後にしたわけではない。私が専任を降りて退職したのは50代始め。自分の学問領域のリサーチや、授業で学生たちに心を向けることを一切断って、家族に心を向けようとした。学会を全て辞め、論文を書くことも止め、学問との関わりは一旦ここで途絶えた。

3　湘南への引っ越しと暮らしの変化

退職をした翌年、どういう風が吹いたのか、我が家は湘南へ引っ越すことになった。海の近くに住むことになるとは思ってもみなかったが、想像していた以上に自然は豊かで心に優しく寄り添ってくれた。都会と何が違うのか。思わず深呼吸するほどの新鮮な空気、頬を撫でる風の心地よさ、日差しの明るさ、空の広さ、そしてその大空を都会では見かけない大きな鳥たちが悠々と楽しそうに飛んでいく。この鳥たちの元気で自由な姿は、特に印象的だった。

我が家から江ノ島までは川沿いを歩いて30分。川幅が広く、悠々と流れる川を見ながら散歩すると、季節によっては魚がピョンピョンと跳ねる。橋の上を江ノ電がのんびり通る。ウシガエルやリスの鳴き声のする沼を通り越し、松林の上に大きなサギが巣を作っている公園を通り過ぎると、片瀬江ノ島の駅が見えてくる。

江ノ島へと渡るには、右も左も見渡す限りの大海原が広がる弁天橋を渡る。潮の香りを胸いっぱいに吸い込む。右手には裾野まで美しく見える富士山、左手の三浦半島方面にはたくさんのヨットが帆をあげて海上を滑っていく。風が心地よく吹いてくる。頭上にはトンビがピーヒョロロと鳴きながら悠々と舞う。海辺に座れば、ぽかぽかと温かなおひさまの日差しを感じ、寄せては返す波音に耳を傾ければ、時の過ぎるのを忘れる。砂浜を裸足で歩けば、冷んやりとした海水と波を感じ、都会では閉じていた五感が一斉に開くのを感じる。

都会は便利で魅力的な場ではあったが、都会生活を思い起こせば、常に時間に追われていた。そして時間がないために、何事もお金で解決する“Time is money”な生活になりがちだった。ここ湘南は“Time is life!”自然の癒しは五感を開かせ、心を開かせた。日々自然の一部である自分を感じ、自然の恵みに感謝するようになると、自分の中に安心感が広がり少しずつ元気が戻ってくる。こうやって家族みんなが元気を取りもどし、私たちは「自分たちらしい暮らし」を紡げるようになった。

4　INVCワークショップと本の出版

引っ越して数年後、非常勤をしていた立教大学異文化コミュニケーション研究科の修了生が書き上げたばかりの修論を抱えて訪ねてきた。大学院を修了しても何らかの形で学びを継続したい、講座を開いてほしいとの申し出があった。湘南暮らしが少し落ち着いてきていた時期でもあり、快く引き受けた。これが２０１０年（平成22年）４月に始めた「ＩＮＶＣワークショップ」である。ＩＮＶＣとはIntercultural Nonverbal Communicationを意味する。これまで私が専門としてやってきた「異文化間非言語コミュニケーション」を「この湘南の海の近くの暮らし」というコンテクストの中で問題提起し、ディスカッションすることを試みた。

ＩＮＶＣワークショップの参加者は５人。全員立教大学異文化コミュニケーション研究科の修了生であり、一人を除いて大学院時代に私の「非言語コミュニケーション論」の授業を履修していた。全員が社会人学生でキャリアをもっており、一人は関西からくることも考慮して、年４回季節ごとに開くこととした。課題リーディングをもとに各自レジュメを用意し、ワークショップの日は朝から夕方まで、一日中ディスカッションをした。

数年続けた頃「みんなで本を書こう」というプロジェクトが立ち上がり、それぞれのキャリアの中で得てきた体験をＩＮＶＣワークショップで学んだ視点で書くことにチャレンジした。共著のタイトルは『のんばーばるコミュニケーションの花束』（パレード　２０１５）とし、ＩＮＶＣメンバー５人と私が１章ずつ執筆を担当した。

私は共著と併行して、単著『暮らしの中ののんばーばるコミュニケーション〜小さな幸せを取り戻すために〜』（パレード　２０１５）も執筆した。私にとっては初めてのエッセイであり、一般書であった。専任の職にいた頃は論文や専門書を書くことしか頭になかったが、これでは読者層が限られる。湘南に来て私が学んできたことを、もっと広い読者に伝えたいと考えるようになっていた。この共著と単著を出版する際に、今後の広がりを見据えて「ＩＮＶＣ暮らしとアートの研究所」を設立し、ＨＰ（https://nonverbal-invc.com）を開設した。２０１５年（平成27年）の年頭のことである。

5　WS未来の夢とINVCセミナー

その後、専修大学で教えている明海大学時代の同僚が、毎年講義科目内での講演を依頼してくれるようになった。上述の書『暮らしの中ののんばーばるコミュニケーション』全10章を順次一章ずつ選んで講演することにした。章のキーワードは以下の10個で、それらとＮＶＣの関係を例示しながら話した――心の交流・五感・人間関係・異文化・空間と場・時間・アートと色・自然・命の循環・幸せ。この講演を聞いてくれた学生たちから、さらに学びたいとの希望が出され、江ノ島でワークショップを開くことになった。これが「ＷＳ未来の夢」の始まりである。

研究所の方でもＩＮＶＣセミナーを新設した。日々の暮らしや教育・社会問題など身近な題材からリーディング課題を設定してＩＮＶＣの視点からディスカッションするＡコースと、ＩＮＶＣに関する専門書を精読してディスカッションするＢコースを設けた。

６　教室の中の異文化コミュニケーション

今は「教室の中の異文化コミュニケーション」に関心がある。子どもたちには幸せに日々を暮らしてもらいたい。この少子化の時代に生まれてきた大切な子どもたちであるのに、一つの教室の中に、貧困で食べるものに困っている子ども、ヤングケアラーとして家族の介護を担っている子ども、自分の心の性に悩む子ども、発達障害やそのグレーゾーンで画一的な教育に合わない子ども、アレルギーで給食を食べられない子ども、音に過敏でチャイムが苦手な子ども、外国籍で日本語がわからず日本の文化に馴染めない子どもなど、さまざまな子どもたちがいる。日本の学校は皆一緒に画一的に教えていく方法が取られてきたが、これだけの多様性を鑑みれば、教師や学校の側に「多様性自体を真の共感力を持ってより深く理解しようとする姿勢」が必要になる。柔軟な授業運営や教え方を創意工夫する時代がやってきたのである。

子どもたちの多様性を敏感にキャッチする必要性が高まっている時代の教師たちに向けて、２０２０年（令和2年）に『英語教師のためのコミュニケーション読本 Verbal & Nonverbal Communication』（パレード）を出版した。一番のメッセージは「授業はコミュニケーションであり、コミュニケーションはＮＶＣ抜きには語れない！」である。さまざまな多様性を持った子どもたちが、自分のことを言語化することは難しく、ＳＯＳサインはＮＶＣに表れる。教師がこれに気づくには、ＮＶＣを学び観察眼を磨いておく必要がある。またコロナ禍で失われ、再認識された「対面コミュニケーション」の役割を分析するのもＮＶＣの領域である。日本の教育システムを現代のニーズにアップデートするために、ＩＮＶＣの視点は大いに貢献できるはずである。現場で具体的に何をしたら良いか、引き続きディスカッションしていきたい。

私にとって、学問への興味は川の流れの如くにずっと続いていくものである。一旦は途切れたものの、再び流れ出したときに「自然や暮らし」という幅の広いコンテクストが加わり、若い世代に大切なことを伝えていけるようになった。これからも生き続ける限り、学問に接するときの心の高鳴りや喜びが失われることはないであろうし、それを若い世代と共有できる時間をもてることは、誠に幸せなことである。

企画にあたり

編者（カンナ社）代表は24年前に学術図書出版社を仲間と起業し、営業職として22年間在籍しておりました。営業先は大学の研究者で、多くの方々にお声をかけさせていただき、会話を愉しみながら多くの本が生まれました。

やがて自分自身が定年を意識する年齢になった頃から、定年を迎えた研究者の、その後の人生を知りたいと思うようになり、本書の企画を考えました。

25人の研究者が企画に賛同してくださり、青灯社の辻一三氏が出版を引き受けてくださいました。

いま25通りもの、学問と共にあるそれぞれの人生を垣間見て、研究とはその人の「ライフ」（生活であり、生命であり、そして人生であるもの）と密接に結びついたものであることを知り、そしてそれゆえの苦悩と喜びに少しばかり触れることができた気がします。

学問や研究といった仕事は、研究室や教室以外の私的な時間にあっても考え、観察し、書籍を読み続けます。

書名は当初の企画とは異なり、『定年後の学問の愉しみ』と辻氏が考えてくださいました。「愉しみ」という言葉は、決して愉しさだけで語れるものではないことも十分承知しております。その上で集まった原稿を見渡してみますと、退職後の時間を、現役時代の知の探究にささげている人、自由な時間の中で新たな学びのテーマを見出した人、学問から少し離れて好きなことを楽しむ人……等々、さまざまな「ライフ」の形が見えてきました。

結果として、研究職以外の人たちの定年後の人生にも、アイデアや問題提起や共感を見出していただけるものになったのではないでしょうか。

その後わたしは会社を退職し、現在、出版コーディネートの会社を起業し、わたし自身の定年後の人生を送っています。先はまだまだです。

青灯社の辻一三氏、編集者の山田愛さん、25人の執筆者の方々には大変お世話になりました。感謝のみです。

カンナ社・石橋幸子

【著者一覧】（掲載順）

山田英美（やまだ・ひでみ）山梨大学名誉教授、身延山大学名誉教授

浜野研三（はまの・けんぞう）元 関西学院大学教授

福田須美子（ふくだ・すみこ）相模女子大学名誉教授、浦和大学特任教授

遠藤　光（えんどう・ひかる）実践女子短期大学名誉教授

細川英雄（ほそかわ・ひでお）早稲田大学名誉教授、言語文化教育研究所八ヶ岳アカデメイア主宰

横須賀薫（よこすか・かおる）元 宮城教育大学学長、元 十文字学園女子大学学長

横山芳春（よこやま・よしはる）福健師範大学協和学院教師

井上範夫（いのうえ・のりお）山梨大学名誉教授

谷山和夫（たにやま・かずお）元 桜美林大学准教授

小林登志生（こばやし・としお）メディア教育開発センター名誉教授、総合研究大学院大学名誉教授

上川孝夫（かみかわ・たかお）横浜国立大学名誉教授

吉村文男（よしむら・ふみお）京都教育大学名誉教授、奈良学園大学名誉教授

弘末雅士（ひろすえ・まさし）立教大学名誉教授

川村協平（かわむら・きょうへい）山梨大学名誉教授

山下直治（やました・なおじ）宮城教育大学名誉教授

倉田雅美（くらた・まさみ）東洋大学名誉教授

川井万里子（かわい・まりこ）東京経済大学名誉教授

住江淳司（すみえ・じゅんじ）公立大学法人名桜大学大学院特任教授、公立大学法人名桜大学名誉教授

福田喜一郎（ふくだ・きいちろう）元 鎌倉女子大学教授

橋本和孝（はしもと・かづたか）関東学院大学名誉教授

呉 宏明（くれ・こうめい）京都精華大学名誉教授

青柳まちこ（あおやぎ・まちこ）立教大学名誉教授

三橋利光（みつはし・としみつ）東洋英和女学院大学名誉教授

松原好次（まつばら・こうじ）元 電気通信大学教授

東山安子（とうやま・やすこ）元 明海大学教授、INVC 暮らしとアートの研究所代表

〔編者〕カンナ社（代表：石橋幸子）１９９９年出版社「春風社」を友人二人と創業。その後独立して２０２１年出版の窓口「カンナ社」を立ち上げる。出版コーディネート歴25年。https://canna-sya.com

定年後の学問の愉しみ

2023年6月5日　第1刷発行

編　者　カンナ社

発行者　辻　一三

発行所　株式会社青灯社

東京都新宿区新宿 1－4－13

郵便番号 160－0022

電話 03－5368－6923（編集）

　　03－5368－6550（販売）

URL http://www.seitosha-p.co.jp

振替　00120－8－260856

印刷・製本　モリモト印刷株式会社

Printed in Japan

ISBN978－4－86228－125－8 C0037

小社ロゴは、田中恭吉「ろうそく」（和歌山県立近代美術館所蔵）をもとに、菊地信義氏が作成